Éditrice : Caty Bérubé

Directrice de production : Julie Doddridge
Directeur artistique : Éric Monette

Chef d'équipe rédaction/révision : Isabelle Roy
Chef d'équipe infographie : Lise Lapierre
Chef cuisinier : Richard Houde

Coordonnatrice à l'édition : Chantal Côté
Auteurs : Caty Bérubé, Richard Houde et Annie Lavoie
Réviseure : Émilie Lefebvre
Concepteurs graphiques : François Desjardins, Marie-Christine Langlois,
Ariane Michaud-Gagnon et Isabelle Roy
Spécialiste en traitement d'images et calibration photo : Yves Vaillancourt
Photographes : Rémy Germain et Martin Houde
Stylistes culinaires : Louise Bouchard, Christine Morin et Julie Morin
Collaborateur : Pub Photo

Directeur de la distribution : Marcel Bernatchez
Distribution : Éditions Pratico-Pratiques et Messageries ADP

Impression : Solisco

Dépôt légal : 3e trimestre 2013
Bibliothèque et Archives nationales du Québec
Bibliothèque et Archives Canada
ISBN 978-2-89658-610-3

Gouvernement du Québec - Programme de crédit d'impôt pour l'édition de livres - Gestion SODEC

1685, boulevard Talbot, Québec (QC) G2N 0C6
Tél. : 418 877-0259 Sans frais : 1 866 882-0091
Téléc. : 418 849-4595
www.pratico-pratiques.com

Commentaires et suggestions :
info@pratico-pratiques.com

Les plaisirs gourmands de Caty

Fondues et raclettes
pour faire durer le plaisir

Pratico
pratiques

Table des matières

Mes plaisirs gourmands

Lentement, délicieusement

Dans notre monde où il faut toujours se dépêcher, où l'on court constamment, quel bonheur de pouvoir «faire lent», une fois de temps en temps. La fondue et la raclette s'avèrent des choix parfaits pour savourer une grande variété d'aliments, que l'on fait cuire tranquillement, autour d'une bonne table, entouré d'amis, avec un bon verre… c'est le bonheur avec un grand B!

Déguster de la fondue lors de rassemblements familiaux ou entre amis est devenu chose courante au Québec depuis quelques décennies. Mais si le choix de ce menu n'est plus si nouveau, la façon de l'apprêter et de l'accompagner a évolué au fil des ans. La fondue chinoise au bœuf laisse maintenant place à une grande variété de viandes, incluant la volaille et le gibier, que l'on trouve désormais facilement au supermarché en version tranchée mince. Quant aux choix des sauces et des bouillons, ils suivent les tendances actuelles en matière de styles alimentaires. Sur bien des tables, la classique sauce mayo-ketchup côtoie aujourd'hui des sauces à saveur asiatique, indienne ou grecque.

Les raclettes aussi s'éclatent! On se sert de cet appareil si polyvalent pour faire griller une multitude d'aliments, du brunch au dessert, en passant bien sûr par toute une déclinaison de préparations gratinées.

Pour vous inspirer et pour vous inciter à renouveler vos fondues et raclettes, nous vous proposons 100 délicieuses recettes. Sauces, bouillons, fondues au fromage, desserts et raclettes en tous genres: vous trouverez des idées pour chaque occasion.

Allez-y, gâtez-vous… lentement!

Caty

La fondue : plus qu'un mets, un art de vivre !

Qu'elle soit chinoise, vietnamienne ou suisse, à la viande, au fromage ou au chocolat, la fondue n'a pas d'égal pour nous rassembler et nous réconforter. En entrée, en plat principal ou en dessert, ce mets d'une extrême convivialité ne cesse de croître en popularité. Beaucoup plus qu'un plat, la fondue se présente davantage comme un art : celui de prendre le temps de savourer… et d'échanger !

Lorsque l'on parle de fondues, ce sont les grands classiques (fondue chinoise, au fromage, au chocolat) qui nous viennent à l'esprit. Toutefois, il suffit d'enlever nos œillères pour découvrir que leurs déclinaisons n'ont de limite que notre imagination.

En plus de s'offrir en de multiples versions, les fondues offrent l'avantage de se préparer à l'avance. Pour cette raison, elles se retrouvent souvent en vedette lors des soupers entre amis, permettant à l'hôte de profiter de la présence de ses invités sans avoir à se soucier de la pièce de viande qui brûle au four ou des pâtes qui collent au fond de la casserole !

Vous souhaitez élargir votre champ de connaissance en la matière ? Que ce soit pour une fondue au bouillon, à l'huile, au fromage ou une fondue dessert, vous trouverez dans les pages suivantes tout ce qu'il faut pour les réussir et pour épater vos convives !

Fondues au bouillon

LE BOUILLON

Lorsqu'une fondue s'improvise à la dernière minute, les bouillons du commerce prêts à l'emploi sont de parfaits dépanneurs. Pour ajouter une petite touche perso, il suffit d'ajouter un peu de vin, d'oignons, d'ail… et le tour est joué !

Puisque ces bouillons sont plutôt denses et qu'ils tendent à épaissir après quelque temps sur le réchaud à fondue, il peut être avantageux de les étirer avec du liquide, comme de l'eau, de la bière ou un autre bouillon.

Évidemment, le bouillon maison demeure la meilleure option, ouvrant la porte à de multiples possibilités. Mais que le bouillon soit maison ou du commerce, il doit toujours être choisi en fonction des chairs servies. On mettra en valeur la viande rouge et de gibier par un bouillon à base de bœuf, d'oignon et de vin rouge. Pour le poulet ou la dinde, dont les saveurs sont plus subtiles, on préférera le bouillon de volaille et vin blanc, alors que pour le poisson et les fruits de mer, on optera pour un fumet de poisson.

LES VIANDES

Si vous êtes du genre «valeur sûre», il y a toujours les fines tranches de bœuf, de poulet ou de porc, offertes fraîches ou surgelées. Si au contraire vous aimez sortir des sentiers battus, vous serez tentés par l'agneau, l'autruche, le lapin ou la viande chevaline. Vous les trouverez déjà tranchés au rayon des surgelés. Pensez aussi au gibier (canard, sanglier, wapiti, cerf, bison, faisan), aux poissons à chair ferme (saumon, flétan, aiglefin) ainsi qu'aux fruits de mer (pétoncles, crevettes). Et pourquoi ne pas mélanger les saveurs en optant pour une formule *surf and turf* ?

LES LÉGUMES

Les légumes aussi adorent faire trempette ! En plus de gagner en goût en baignant dans le bouillon, ils ajoutent de la couleur, des vitamines et de la texture à la fondue. Brocoli, chou-fleur, brocofleur, champignons, poivron, courgette, pois mange-tout, fenouil, bok choy… il suffit de les plonger dans le bouillon (en bouquets, émincés ou en gros cubes) et de les récupérer au moyen d'une épuisette lorsque suffisamment cuits. Pour les légumes plus fermes, il est recommandé de les faire préalablement blanchir.

Fondues à l'huile

Dans cette catégorie, on trouve entre autres la fondue bourguignonne et la fondue tempura. La première consiste en des cubes de viande crue, traditionnellement du bœuf, que l'on fait cuire dans l'huile bouillante. La coupe de viande à favoriser est le filet ou le faux-filet, alors que pour l'huile de cuisson, c'est l'huile d'arachide qu'il faut préférer. Évidemment, comme pour la fondue au bouillon, le bœuf peut être remplacé par du gibier, de la volaille ou du porc.

En ce qui concerne la fondue tempura, il s'agit de crevettes, de légumes ou de morceaux de poisson que l'on enrobe d'une pâte et que l'on fait frire dans l'huile bouillante. Un petit truc futé pour vous aider : afin de vous assurer que la pâte tempura adhère bien à chacun des aliments, prenez soin de les fariner avant de les y tremper. Il importe également de respecter le degré de température de l'huile indiqué dans la recette de pâte. Autrement, elle pourrait brûler avant que les aliments ne soient cuits. Si vous n'avez pas de thermomètre, plongez un bout de pain dans l'huile : lorsqu'il remonte à la surface, l'huile est suffisamment chaude.

Les sauces

Une fondue au bouillon ou à l'huile ne serait pas complète sans sauces. Légères ou crémeuses, douces ou épicées, acidulées ou sucrées, à base de fruits, de fines herbes ou de légumes, aux saveurs classiques ou exotiques, elles existent dans une myriade de déclinaisons. Afin d'harmoniser les goûts, il suffit de les créer en fonction des chairs choisies.

Les sauces à base de mayonnaise ou plus assaisonnées vont bien avec les viandes rouges. Les sauces relevées ou à base de petits fruits, comme le bleuet, se marient bien aux viandes de gros gibier (cerf, bison...), tandis que les sauces douces ou fruitées relèvent délicieusement le petit gibier (canard, faisan...). Les fondues aux notes asiatiques avec poulet, poisson et fruits de mer aiment s'allier au gingembre, aux agrumes, au sésame et à la coriandre.

Notez qu'il existe aussi une belle gamme de sauces du commerce. Toutes prêtes, elles sont des plus pratiques lorsque le temps manque ou qu'un repas de fondue s'improvise à la dernière minute.

Les bonnes quantités à prévoir

Pour que le repas soit parfait, il faut tout prévoir ! Le tableau suivant indique les quantités de bouillon, de viande et de sauce recommandées selon le nombre de convives. Prévoyez un caquelon par groupe de quatre à six personnes.

Nombre de convives	Quantité de bouillon	Viandes	Sauces variées
4 personnes	1,5 à 2 litres (6 à 8 tasses)	900 g (2 lb)	500 ml (2 tasses)
6 personnes	2 à 3 litres (8 à 12 tasses)	1,5 kg (3,3 lb)	750 ml (3 tasses)
8 personnes	3 à 4 litres (12 à 16 tasses)	2 kg (4,4 lb)	1 litre (4 tasses)
10 personnes	4 à 5 litres (16 à 20 tasses)	2,5 kg (5,5 lb)	1,25 litre (5 tasses)
12 personnes	4 à 6 litres (16 à 24 tasses)	3 kg (6,6 lb)	1,5 litre (6 tasses)

LA RACLETTE

La raclette traditionnelle consiste à faire fondre une demi-meule de fromage (à raclette, bien sûr!) devant une flamme. Le fromage fondu est servi avec des pommes de terre, des marinades (oignons perlés, cornichons…) et des charcuteries (jambon, prosciutto, viande des Grisons, salami…).

Les grils électriques avec plaque chauffante ont permis d'élargir le répertoire de la raclette : viandes (bœuf, poulet, saucisses…), fruits de mer, poisson et légumes se joignent maintenant au festin.

Pour une version traditionnelle (fromage, pommes de terre, charcuteries, marinades), comptez 200 g (environ $\frac{1}{2}$ lb) de fromage et de 90 à 120 g (de 3 à 4 oz) de charcuteries par personne. Si vous ajoutez de la viande et des légumes au menu, diminuez la quantité de fromage à 125 g (environ $\frac{1}{4}$ de lb) par personne.

Fondues au fromage

Rien de tel qu'une bonne fondue au fromage pour nous rassasier et nous réchauffer après une longue et froide journée d'hiver! Originaire de Suisse, ce mets a depuis longtemps dépassé les frontières de ce pays pour prendre la saveur locale de chaque endroit où il est préparé.

Le secret pour une fondue au fromage réussie? Un caquelon en céramique ou en fonte émaillée, un brûleur à l'huile, de délicieux fromages, une gousse d'ail, un peu d'alcool (vin blanc, cidre, kirsch ou bière) et de la fécule de maïs pour lier le tout. Et pour faire trempette? Des baguettes de pain de la veille à croûte bien croustillante, quelques grappes de raisin et une sélection de vos légumes préférés, préalablement blanchis.

Si jamais au cours du repas le fromage devient trop épais, il suffit de le diluer avec un peu de vin blanc légèrement réchauffé.

La fondue dessert

Pour les becs sucrés, la fondue dessert s'avère un véritable petit péché! Au chocolat noir, blanc ou au lait, à l'érable, à la guimauve ou au caramel, les possibilités sont nombreuses… Qu'on y trempe des morceaux de fruits, de gâteau ou de biscuits, c'est un dessert qui sait plaire aux petits comme aux grands.

LE SECRET D'UNE BONNE FONDUE AU CHOCOLAT

Une fondue au chocolat doit être préparée dans un plat conçu à cet effet pour être réussie, car le chocolat peut brûler lorsqu'il est soumis à une chaleur trop intense. Le caquelon doit donc être fait de céramique et avoir une petite taille. Dans le réchaud, on placera une petite bougie de type chauffe-plat et non un brûleur. Ce dernier dégagerait trop de chaleur, même si la flamme est faible.

Parfaits bouillons

Le bouillon est en quelque sorte l'âme de la fondue. Qu'il soit à base de légumes, de viande, de volaille ou de poisson, c'est lui qui confère en partie à ce mets saveur et personnalité. Allongé avec du vin, de la bière ou rehaussé de fines herbes, d'épices ou de piments, il suffit de choisir celui qui saura le mieux valoriser les chairs au menu.

Bouillon aux fines herbes

Préparation : **20 minutes** • Cuisson : **2 heures** • Quantité : **4 portions**
Idéal pour : **viande rouge, gibier (canard, sanglier, cerf, bison...)**

300 g (⅔ de lb)
de jarrets de veau

3 carottes

1 poireau

1 branche de céleri

1 oignon

1 bouquet garni composé
de thym, de romarin
et de feuilles de laurier

Épices et sel au goût

1 litre (4 tasses) d'eau

1. Dans une casserole, mélanger tous les ingrédients. Couvrir et laisser mijoter 2 heures, en écumant régulièrement.

2. Filtrer puis transférer dans le caquelon.

Le saviez-vous ?

D'où vient la fondue chinoise ?

Difficile de statuer sur les origines précises de la fondue chinoise. Alors que certains attribuent la création de ce mets aux Chinois du Nord, d'autres croient plutôt qu'il aurait d'abord vu le jour en Mongolie. Quoi qu'il en soit, ce plat d'une rare convivialité a aujourd'hui conquis le monde... et se déguste à toutes les sauces !

Bouillon à l'asiatique

Préparation : **15 minutes** • Cuisson : **10 minutes** • Quantité : **de 4 à 6 portions**
Idéal pour : **volaille, porc, fruits de mer**

15 ml (1 c. à soupe) d'huile
de sésame (non grillé)

1 oignon haché

15 ml (1 c. à soupe) d'ail haché

30 ml (2 c. à soupe)
de gingembre haché

5 ml (1 c. à thé) de piment
fort haché

1,5 litre (6 tasses) de bouillon
de poulet

60 ml (¼ de tasse) de sauce soya

1. Dans une casserole, chauffer l'huile à feu moyen. Faire revenir l'oignon avec l'ail, le gingembre et le piment de 1 à 2 minutes.

2. Verser le bouillon et la sauce soya. Porter à ébullition. Couvrir et laisser mijoter 10 minutes à feu doux.

3. Transférer le bouillon dans le caquelon.

J'aime avec...

Des sauces bien relevées

SAUCE AU PAVOT, GINGEMBRE ET CITRON

Mélanger 125 ml ($\frac{1}{2}$ tasse) de mayonnaise avec 80 ml ($\frac{1}{3}$ de tasse) de crème sure, 15 ml (1 c. à soupe) de gingembre haché, 15 ml (1 c. à soupe) de zestes de citron et 10 ml (2 c. à thé) de graines de pavot. Saler et poivrer. Réserver au frais jusqu'au moment de servir.

SAUCE À LA THAÏ

Mélanger 15 ml (1 c. à soupe) de miel avec 30 ml (2 c. à soupe) de jus de lime, 80 ml ($\frac{1}{3}$ de tasse) de sauce aux piments doux, 30 ml (2 c. à soupe) d'huile de sésame (non grillé), 30 ml (2 c. à soupe) d'échalotes sèches hachées, 30 ml (2 c. à soupe) de graines de sésame rôties, 15 ml (1 c. à soupe) de basilic frais émincé (basilic thaï de préférence), 10 ml (2 c. à thé) de gingembre haché et 5 ml (1 c. à thé) d'ail haché. Réserver au frais jusqu'au moment de servir.

Bouillon au vin blanc

Préparation : **20 minutes** • Cuisson : **20 minutes** • Quantité : **de 4 à 6 portions**
Idéal pour : **poisson, fruits de mer**

15 ml (1 c. à soupe) d'huile d'olive

1 carotte émincée

1 branche de céleri émincée

1 oignon émincé

375 ml (1 ½ tasse) de vin blanc

1,5 litre (6 tasses)
de fumet de poisson

10 ml (2 c. à thé)
de graines de fenouil

5 ml (1 c. à thé) d'ail haché

1 tige de thym

Poivre au goût

1. Dans une casserole, chauffer l'huile à feu moyen. Saisir les légumes de 2 à 3 minutes.

2. Verser le vin blanc et porter à ébullition. Laisser mijoter à feu moyen, sans couvrir, jusqu'à ce que le liquide ait réduit de moitié.

3. Ajouter le reste des ingrédients et porter de nouveau à ébullition. Laisser mijoter 20 minutes à feu doux-moyen.

4. Transférer le bouillon dans le caquelon.

J'aime avec...

Des sauces crémeuses

SAUCE AU CARI ROUGE

Mélanger 180 ml (¾ de tasse) de mayonnaise avec 15 ml (1 c. à soupe) de pâte de cari rouge et 2,5 ml (½ c. à thé) de curcuma. Réserver au frais jusqu'au moment de servir.

SAUCE À L'ESTRAGON ET CITRON

Mélanger 180 ml (¾ de tasse) de mayonnaise avec 80 ml (⅓ de tasse) de yogourt grec, 30 ml (2 c. à soupe) d'estragon frais haché, 30 ml (2 c. à soupe) de persil frais haché et 10 ml (2 c. à thé) de zestes de citron. Réserver au frais jusqu'au moment de servir.

Bouillon à la bisque de homard

Préparation : **10 minutes** • Cuisson : **15 minutes** • Quantité : **4 portions**
Idéal pour : **poisson, fruits de mer**

1 boîte de bisque de homard
....
250 ml (1 tasse) de crème
à cuisson 35 %
....
250 ml (1 tasse) de vin blanc
....
5 ml (1 c. à thé) de piment
de Cayenne
....
10 ml (2 c. à thé) d'estragon
frais haché
....

1. Dans une casserole, mélanger la bisque avec la crème et le vin blanc.

2. Ajouter le piment et l'estragon. Couvrir et laisser mijoter à feu doux 15 minutes.

3. Transférer le bouillon dans le caquelon.

J'aime avec...

Sauce catalane

Faire griller 2 gousses d'ail pelées avec 10 amandes entières et 10 noisettes entières. Déposer dans le contenant du mélangeur avec 1 poivron rouge, 15 ml (1 c. à soupe) de vinaigre de vin rouge et 40 ml (environ 2 $\frac{1}{2}$ c. à soupe) de purée de tomates. Mélanger en ajoutant progressivement 200 ml (environ $\frac{3}{4}$ de tasse) d'huile d'olive. Saler et poivrer. Réserver au frais jusqu'au moment de servir.

Bouillon à la bière

Préparation : 15 minutes • Cuisson : 10 minutes • Quantité : de 4 à 6 portions
Idéal pour : volaille, porc

30 ml (2 c. à soupe) d'huile
de canola
......

1 oignon émincé
......

1 poireau émincé
......

15 ml (1 c. à soupe) d'ail haché
......

1,25 litre (5 tasses) de bouillon
de poulet
......

1 bouteille de bière blonde
de 341 ml
......

125 ml (½ tasse) de sirop
d'érable
......

1 feuille de laurier
......

Sel et poivre au goût
......

1. Dans une casserole, chauffer l'huile à feu moyen. Saisir l'oignon avec le poireau et l'ail de 1 à 2 minutes.

2. Ajouter le reste des ingrédients du bouillon et porter à ébullition. Couvrir et laisser mijoter à feu doux 10 minutes.

3. Transférer le bouillon dans le caquelon.

J'aime avec...

Pommes de terre croustillantes au four

Couper 6 pommes de terre blanches en deux sur la longueur. Dans un bol, mélanger 45 ml (3 c. à soupe) d'huile d'olive avec 15 ml (1 c. à soupe) d'épices italiennes. Ajouter les pommes de terre et remuer pour bien les enrober. Déposer sur une plaque de cuisson tapissée d'une feuille de papier parchemin, côté tranché sur le dessus. Cuire au four de 35 à 40 minutes à 205 °C (400 °F).

Bouillon aux tomates

Préparation : **25 minutes** • Cuisson : **8 minutes** • Quantité : **de 4 à 6 portions**
Idéal pour : **viande rouge, volaille**

POUR LE BOUILLON :

15 ml (1 c. à soupe) d'huile
de canola

1 oignon émincé

1,5 litre (6 tasses) de bouillon
de poulet

30 ml (2 c. à soupe) de pâte
de tomates

30 ml (2 c. à soupe) de pesto
aux tomates séchées

15 ml (1 c. à soupe) d'ail haché

1 carotte émincée

1 branche de céleri émincée

POUR LA SAUCE BASILIC
ET PARMESAN :

125 ml (½ tasse) de mayonnaise

60 ml (¼ de tasse) de crème sure

45 ml (3 c. à soupe) de parmesan
râpé

30 ml (2 c. à soupe) de basilic
frais émincé

POUR LA MAYONNAISE
BARBECUE :

180 ml (¾ de tasse)
de mayonnaise

60 ml (¼ de tasse) de sauce
barbecue

15 ml (1 c. à soupe) de sauce
Worcestershire

Tabasco au goût

POUR LA MAYONNAISE À L'AIL
ET AU ZESTE DE CITRON :

180 ml (¾ de tasse) de mayonnaise

15 ml (1 c. à soupe) de moutarde
douce

15 ml (1 c. à soupe) de persil
frais haché

10 ml (2 c. à thé) de zestes de citron

5 ml (1 c. à thé) d'ail haché

½ branche de céleri hachée

½ oignon haché

1. Dans une casserole, chauffer l'huile à feu moyen.
Cuire l'oignon de 1 à 2 minutes.

2. Ajouter le reste des ingrédients du bouillon. Porter
à ébullition et laisser mijoter de 8 à 10 minutes
à feu moyen.

3. Filtrer le bouillon, si désiré, puis transférer dans
le caquelon.

4. Mélanger les ingrédients de chacune des sauces
dans des bols. Réfrigérer jusqu'au moment de servir.

Il est préférable de préparer le bouillon quelques
heures à l'avance afin de permettre aux saveurs
de bien s'amalgamer.

J'aime avec...

Pommes de terre parisiennes aux oignons et bacon

Couper 10 tranches de bacon en morceaux. Faire dorer
au micro-ondes de 3 à 4 minutes à puissance maximale.
Égoutter sur du papier absorbant. Dans une poêle, faire
dorer à feu moyen 1 oignon haché dans 30 ml (2 c. à
soupe) d'huile d'olive. Ajouter 1 paquet de 500 g de
pommes de terre parisiennes précuites et égouttées.
Cuire de 3 à 4 minutes. Saler et poivrer. Incorporer
le bacon.

Bouillon jardinier express

Préparation : **10 minutes** • Cuisson : **10 minutes** • Quantité : **6 portions**
Idéal pour : **légumes**

15 ml (1 c. à soupe) d'huile d'olive
....
500 ml (2 tasses) de légumes
en dés prêts à l'emploi (carottes,
céleri, oignon, poivron vert)
....
15 ml (1 c. à soupe) d'ail haché
....
1 feuille de laurier
....
1 tige de thym
....
500 ml (2 tasses) de vin blanc
....
1,25 litre (5 tasses) de bouillon
de légumes
....
Sel et poivre au goût
....
15 ml (1 c. à soupe) de pesto
aux tomates séchées
....

1. Dans une casserole, chauffer l'huile à feu
moyen. Saisir les légumes 2 minutes.

2. Ajouter l'ail, les fines herbes, le vin,
le bouillon et l'assaisonnement. Porter
à ébullition. Couvrir et laisser mijoter
à feu doux de 10 à 15 minutes.

3. Filtrer le bouillon, si désiré, et transférer
dans le caquelon. Incorporer le pesto.

J'aime aussi...

La fondue 100 % végé

Pour faire changement ou pour respecter les habitudes
alimentaires de certains invités, la fondue peut être
exclusivement végétarienne. Proposez les richesses
du potager en taillant les légumes en quartiers ou en
rondelles. Pour ceux qui demandent plus de temps de
cuisson (brocoli, chou-fleur, courgette, etc.), prenez
soin de les faire blanchir dans une casserole d'eau
bouillante de 2 à 3 minutes pour les attendrir. Pensez
aussi à garnir le plateau de cubes de tofu ferme et
de fromage qui « ne coule pas », comme le Doré-mi
ou la feta.

Bouillon type bouillabaisse

Préparation : **15 minutes** • Cuisson : **20 minutes** • Quantité : **6 portions**
Idéal pour : **poisson, fruits de mer**

30 ml (2 c. à soupe) d'huile d'olive
....
15 ml (1 c. à soupe) d'ail haché
....
2 oignons émincés
....
1 poireau émincé
....
1,25 litre (5 tasses) de fumet
de poisson
....
375 ml (1 ½ tasse) de vin blanc sec
....
250 ml (1 tasse) d'eau
....
45 ml (3 c. à soupe) de pâte
de tomates
....
30 ml (2 c. à soupe) de persil
frais haché
....
10 ml (2 c. à thé) de graines
de fenouil
....
6 à 8 pistils de safran
....
1 tige de thym
....
1 feuille de laurier
....
Poivre au goût
....

1. Dans une casserole, chauffer l'huile à feu moyen. Saisir l'ail avec les oignons et le poireau de 1 à 2 minutes.

2. Ajouter le reste des ingrédients. Laisser mijoter 20 minutes à feu moyen.

3. Transférer le bouillon dans le caquelon.

J'aime avec...

Rouille savoureuse

Associée à la cuisine provençale, cette sauce épicée est souvent utilisée pour ajouter du piquant aux bouillabaisses et aux soupes de poisson.

Dans un bol, mélanger 250 ml (1 tasse) de yogourt nature 10 % M.G. (de type Liberté), 15 ml (1 c. à soupe) d'ail haché, 15 ml (1 c. à soupe) de jus de citron et de 6 à 8 pistils de safran. Ajouter du sel et du piment de Cayenne au goût.

Bouillon arrabbiata

Préparation : **15 minutes** • Cuisson : **20 minutes** • Quantité : **6 portions**
Idéal pour : **volaille, viande rouge**

30 ml (2 c. à soupe) d'huile
d'olive
....
1 oignon émincé
....
10 ml (2 c. à thé) d'ail haché
....
2,5 ml (½ c. à thé) de flocons
de piment
....
1 boîte de tomates en dés avec
épices italiennes de 796 ml
....
750 ml (3 tasses) de bouillon
de poulet
....
250 ml (1 tasse) de vin blanc
....
1 branche de céleri émincée
....
1 carotte émincée
....
Sel au goût
....

1. Dans une casserole, chauffer l'huile à feu moyen. Faire revenir l'oignon avec l'ail et les flocons de piment de 1 à 2 minutes.

2. Ajouter le reste des ingrédients et porter à ébullition. Couvrir et laisser mijoter à feu doux 20 minutes.

3. Filtrer le bouillon, si désiré, puis transférer dans le caquelon.

Le saviez-vous ?

Que signifie arrabbiata ?

La sauce arrabbiata (ou *All'Arrabbiata* en italien) est un classique de la cuisine romaine. Constituée principalement de tomates et de piment, cette dernière a un goût très relevé, d'où son nom qui signifie « enragé » ou « en colère ».

Bouillon pour fondue à la volaille

Préparation : **15 minutes** • Cuisson : **20 minutes** • Quantité : **6 portions**
Idéal pour : **volaille**

½ poireau

1 oignon

1 carotte

2 gousses d'ail

15 ml (1 c. à soupe) d'huile d'olive

15 ml (1 c. à soupe) d'épices à marinade

10 ml (2 c. à thé) de romarin frais haché

500 ml (2 tasses) de vin blanc

1,25 litre (5 tasses) de bouillon de poulet ou de fumet de poisson

1. Émincer le poireau, l'oignon, la carotte et l'ail.

2. Dans une casserole, chauffer l'huile à feu moyen. Faire revenir les légumes émincés avec les épices et le romarin 2 minutes.

3. Verser le vin blanc et le bouillon. Porter à ébullition. Couvrir et laisser mijoter à feu doux 20 minutes.

4. Filtrer le bouillon, si désiré, puis transférer dans le caquelon.

J'aime parce que...

Une fondue au poulet, ça fait changement !

Question de varier la classique fondue au bœuf, pourquoi ne pas opter pour du poulet ? Maintenant très facile à trouver, on peut se le procurer dans les supermarchés déjà tranché, frais ou surgelé. Petit conseil : lorsque vous optez pour cette chair, prenez garde à la contamination croisée ! Afin de limiter les risques, assurez-vous de bien séparer la viande crue de la viande cuite ainsi que des autres aliments.

Bouillon pour fondue au gibier

Préparation : **20 minutes** • Cuisson : **10 minutes** • Marinage : **10 minutes**
Quantité : **6 portions** • Idéal pour : **gibier (canard, sanglier, cerf, bison...)**

POUR LE BOUILLON :

30 ml (2 c. à soupe) de beurre

1 oignon haché

500 ml (2 tasses) de bouillon
de bœuf

1 contenant de fond de gibier
(de type la Maison du Gibier)
de 450 ml

375 ml (1 ½ tasse)
de vin rouge corsé

30 ml (2 c. à soupe)
de sauce chili

15 ml (1 c. à soupe) d'ail haché

1 feuille de laurier

3 baies de genièvre
(facultatif)

Sel et poivre au goût

POUR LA MARINADE :

80 ml (⅓ de tasse)
de sirop d'érable

10 ml (2 c. à thé) de thym
frais haché

10 ml (2 c. à thé) d'ail haché

5 ml (1 c. à thé) de poivre
noir concassé

1. Dans une casserole, faire fondre le beurre.
Faire dorer l'oignon de 1 à 2 minutes.

2. Ajouter le reste des ingrédients du bouillon. Porter à ébullition et laisser mijoter à feu moyen 10 minutes.

3. Pendant ce temps, mélanger les ingrédients de la marinade. Napper les viandes de ce mélange. Couvrir et laisser mariner de 10 à 15 minutes au frais.

4. Filtrer le bouillon, si désiré, puis transférer dans le caquelon.

J'aime avec...

Copeaux de pommes de terre épicés

Trancher grossièrement 4 pommes de terre en conservant la pelure et en préservant une bonne épaisseur de chair. Déposer dans une casserole et couvrir d'eau froide. Porter à ébullition puis retirer du feu. Égoutter. Dans un plat allant au four, mélanger 30 ml (2 c. à soupe) d'huile d'olive avec 15 ml (1 c. à soupe) d'épices à bifteck. Ajouter les copeaux de pommes de terre et bien enrober du mélange. Déposer sur une plaque de cuisson tapissée d'une feuille de papier parchemin. Cuire au four de 25 à 30 minutes à 205 °C (400 °F).

Bouillon au vin rouge

Préparation : 15 minutes • **Cuisson : 20 minutes** • **Quantité : 6 portions**
Idéal pour : **viande rouge**

1 oignon

1 carotte

1 branche de céleri

15 ml (1 c. à soupe) d'huile
de canola

1,25 litre (5 tasses) de bouillon
de bœuf

500 ml (2 tasses) de vin rouge

60 ml (¼ de tasse)
de sauce HP

2 gousses d'ail hachées

1 tige de thym

1 feuille de laurier

Sel et poivre au goût

1. Émincer l'oignon, la carotte et le céleri.

2. Dans une casserole, chauffer l'huile à feu moyen. Faire revenir les légumes émincés 2 minutes.

3. Ajouter le reste des ingrédients et porter à ébullition. Couvrir et laisser mijoter à feu doux 20 minutes.

4. Filtrer le bouillon, si désiré, puis transférer dans le caquelon.

J'aime parce que...

C'est rapide et savoureux !

Prêt en un rien de temps, ce bouillon est parfait pour rehausser le goût des viandes rouges ! Si vous souhaitez faire des provisions, doublez la recette. Vous pourrez ainsi en congeler une partie en vue d'une prochaine fondue. Dans ce cas, n'ajoutez pas le vin dans la préparation : vous incorporerez plutôt au moment de réchauffer le bouillon.

Le secret est dans la sauce

Qu'on soit type sauce ou non, impossible de résister à l'idée de faire trempette dans ces délicieux mélanges de saveurs. À base de mayo ou de fromage, accentuées de moutarde, d'ail, de fruits ou d'érable, voici une panoplie de sauces, à savourer tantôt froides, tantôt chaudes.

Délicieuses mayos

Les sauces à base de mayonnaise
sont des incontournables de la fondue.

À la roquette

Préparation : **5 minutes**
Quantité : **285 ml (environ 1 ¼ tasse)**
Idéale pour : **poisson, fruits de mer,
volaille, légumes**

180 ml (¾ de tasse)
de mayonnaise
....
60 ml (¼ de tasse)
de roquette hachée
....
45 ml (3 c. à soupe)
de poudre d'amandes
....

Dans un bol, mélanger ensemble tous
les ingrédients. Réserver au frais jusqu'au
moment de servir.

Aux deux moutardes

Préparation : **5 minutes**
Quantité : **310 ml (1 ¼ tasse)**
Idéale pour : **poisson, volaille,
porc, légumes**

1 contenant de fromage
fouetté à la crème nature
(de type Philadelphia
Fouetté) de 150 g
125 ml (½ tasse)
de mayonnaise
....

30 ml (2 c. à soupe)
de moutarde douce
....
15 ml (1 c. à soupe)
de moutarde
à l'ancienne
....

Dans un bol, mélanger ensemble tous
les ingrédients. Réserver au frais jusqu'au
moment de servir.

Dijonnaise
à l'estragon

Préparation : **5 minutes**
Quantité : **310 ml (1 ¼ tasse)**
Idéale pour : **poisson, volaille, porc**

180 ml (¾ de tasse)
de mayonnaise

60 ml (¼ de tasse)
de crème sure

30 ml (2 c. à soupe) de
moutarde à l'ancienne

15 ml (1 c. à soupe)
de moutarde de Dijon

15 ml (1 c. à soupe)
de jus de citron

5 ml (1 c. à thé)
d'estragon séché

Dans un bol, fouetter ensemble tous les ingrédients jusqu'à l'obtention d'une consistance crémeuse. Réserver au frais jusqu'au moment de servir.

Aïoli aux câpres
et basilic

Préparation : **10 minutes**
Quantité : **330 ml (1 ⅓ tasse)**
Idéale pour : **poisson, fruits de mer, volaille, porc, légumes**

250 ml (1 tasse)
de mayonnaise

30 ml (2 c. à soupe)
d'huile d'olive

30 ml (2 c. à soupe)
de basilic frais émincé

10 ml (2 c. à thé)
de câpres hachées

10 ml (2 c. à thé)
d'ail haché

Sel et poivre au goût

Dans un bol, mélanger ensemble tous les ingrédients. Réserver au frais jusqu'au moment de servir.

Sucrées-salées

De délicieux mélanges de saveurs sucrées-salées.

Sauce Mille-Îles

Préparation : **10 minutes**
Marinage : **2 heures**
Quantité : **250 ml (1 tasse)**
Idéale pour : **volaille, viande rouge, légumes**

80 ml (⅓ de tasse) de mayonnaise

45 ml (3 c. à soupe) de sauce chili

30 ml (2 c. à soupe) d'huile d'olive

30 ml (2 c. à soupe) de poivron vert haché finement

30 ml (2 c. à soupe) d'oignon haché finement

½ citron (jus)

5 ml (1 c. à thé) de relish

5 ml (1 c. à thé) de sucre

1 pincée de paprika

Sel et poivre au goût

Mélanger ensemble tous les ingrédients et faire mariner au frais de 2 à 4 heures. Réserver au frais jusqu'au moment de servir.

Sauce à l'érable

Préparation : **15 minutes**
Quantité : **250 ml (1 tasse)**
Idéale pour : **volaille, viande rouge**

125 ml (½ tasse) de sirop d'érable

125 ml (½ tasse) de ketchup épicé

15 ml (1 c. à soupe) de vinaigre de vin rouge

5 ml (1 c. à thé) de moutarde de Dijon

Sel au goût

15 ml (1 c. à soupe) de persil frais haché

Dans une petite casserole, porter à ébullition en fouettant le sirop d'érable, le ketchup, le vinaigre, la moutarde et l'assaisonnement. Laisser refroidir avant d'incorporer le persil. Réserver au frais jusqu'au moment de servir.

Sauce veloutée à l'orange

Préparation : **5 minutes**
Quantité : **250 ml (1 tasse)**
Idéale pour : **poisson, fruits de mer, volaille**

180 ml (¾ de tasse)
de mayonnaise
....
30 ml (2 c. à soupe) de jus
d'orange concentré
1 orange (zeste)
....
Sel et poivre au goût
....

Dans un bol, fouetter ensemble tous les ingrédients jusqu'à l'obtention d'une consistance crémeuse. Réserver au frais jusqu'au moment de servir.

Sauce à la mangue

Préparation : **10 minutes**
Quantité : **375 ml (1 ½ tasse)**
Idéale pour : **poisson, fruits de mer, volaille, légumes**

1 mangue
....
1 contenant de fromage
à la crème de 250 g,
ramolli
....
1 citron (jus)
....

5 ml (1 c. à thé)
de curcuma
....
5 ml (1 c. à thé)
de gingembre haché
....
Sel et poivre au goût
....

Peler la mangue et retirer le noyau. Dans le contenant du robot culinaire, mélanger la chair de la mangue avec le reste des ingrédients. Réserver au frais jusqu'au moment de servir.

Sauces express

Des délices qui se préparent en 10 minutes
ou moins, tout simplement !

Aux cinq poivres

Préparation : **5 minutes**
Quantité : **220 ml (environ 1 tasse)**
Idéale pour : **volaille, viande rouge, porc**

125 ml (½ tasse)
de mayonnaise

80 ml (⅓ de tasse)
de crème sure

15 ml (1 c. à soupe)
de mélange de
cinq poivres moulus

Dans un bol, mélanger ensemble tous
les ingrédients. Réserver au frais jusqu'au
moment de servir.

Moutarde et érable

Préparation : **10 minutes**
Quantité : **310 ml (1 ¼ tasse)**
Idéale pour : **poisson, fruits de mer,
volaille, légumes**

250 ml (1 tasse)
de mayonnaise

30 ml (2 c. à soupe)
de ciboulette fraîche
hachée

15 ml (1 c. à soupe)
de sirop d'érable

15 ml (1 c. à soupe)
de moutarde de Dijon

Dans un bol, mélanger ensemble tous
les ingrédients. Réserver au frais jusqu'au
moment de servir.

Sauce cajun

Préparation : **10 minutes**
Quantité : **310 ml (1 ¼ tasse)**
Idéale pour : **volaille, viande rouge, porc**

250 ml (1 tasse)
de mayonnaise

30 ml (2 c. à soupe)
de ketchup

15 ml (1 c. à soupe)
d'estragon frais haché

15 ml (1 c. à soupe)
de persil frais haché

15 ml (1 c. à soupe)
d'épices cajun

Dans un bol, mélanger ensemble tous
les ingrédients. Réserver au frais jusqu'au
moment de servir.

Sauce soya veloutée au miel

Préparation : **5 minutes**
Quantité : **310 ml (1 ¼ tasse)**
Idéale pour : **poisson, fruits de mer, volaille, légumes**

250 ml (1 tasse)
de mayonnaise

30 ml (2 c. à soupe)
de miel

15 ml (1 c. à soupe)
de sauce soya

Poivre au goût

Dans un bol, fouetter ensemble tous
les ingrédients. Réserver au frais jusqu'au
moment de servir.

Fromagées

Les sauces à base de fromage sont toujours crémeuses et savoureuses !

Aux poivrons rôtis et feta

Préparation : **10 minutes**
Quantité : **425 ml (environ 1 ⅔ tasse)**
Idéale pour : **poisson, volaille, viande rouge, porc**

1 contenant de feta de 200 g

125 ml (½ tasse) de poivrons grillés, égouttés

60 ml (¼ de tasse) de mayonnaise

30 ml (2 c. à soupe) d'origan frais haché

5 ml (1 c. à thé) d'ail haché

Dans le contenant du robot culinaire, déposer tous les ingrédients. Mélanger jusqu'à l'obtention d'une consistance lisse et onctueuse. Réserver au frais jusqu'au moment de servir.

Parmesan et chèvre

Préparation : **10 minutes**
Quantité : **310 ml (1 ¼ tasse)**
Idéale pour : **poisson, viande rouge, porc, légumes**

125 ml (½ tasse) de crème sure

100 g de fromage de chèvre (de type Capriny)

125 ml (½ tasse) de parmesan râpé

60 ml (¼ de tasse) de céleri haché

60 ml (¼ de tasse) de poivron rouge haché

Sel et poivre au goût

Dans un bol, mélanger ensemble tous les ingrédients. Réserver au frais jusqu'au moment de servir.

Crémeuse au bleu et au concombre

Préparation : **10 minutes**
Réfrigération : **30 minutes**
Quantité : **250 ml (1 tasse)**
Idéale pour : **volaille, viande rouge, légumes**

½ concombre pelé et épépiné

125 ml (½ tasse) de fromage bleu danois émietté

125 ml (½ tasse) de crème sure ou de ricotta

15 ml (1 c. à soupe) de ciboulette fraîche hachée

Sel et poivre au goût

Râper le concombre finement. Déposer la chair râpée dans une passoire placée au-dessus d'un bol. Saupoudrer d'une pincée de sel et réserver au réfrigérateur 30 minutes. Dans un autre bol, mélanger le fromage bleu avec la crème sure et la ciboulette. Ajouter le concombre égoutté et l'assaisonnement. Réserver au frais jusqu'au moment de servir.

Sauce aux champignons

Préparation : **5 minutes**
Cuisson : **2 minutes**
Quantité : **500 ml (2 tasses)**
Idéale pour : **poisson, fruits de mer, viande rouge, porc, légumes**

30 ml (2 c. à soupe) de beurre

10 champignons hachés

30 ml (2 c. à soupe) d'échalotes sèches hachées

15 ml (1 c. à soupe) de farine

180 ml (¾ de tasse) de crème à cuisson 15 %

1 fromage crémeux ail et fines herbes (de type Boursin) de 150 g

Dans une casserole, faire fondre le beurre à feu moyen. Cuire les champignons et les échalotes de 2 à 3 minutes. Saupoudrer de farine et remuer. Verser la crème et ajouter le fromage. Porter à ébullition en remuant jusqu'à incorporation complète du fromage. Servir la sauce chaude ou froide.

Chaudes

Des sauces parfumées à servir chaudes… miam !

Arrabbiata rosée

Préparation : **5 minutes**
Quantité : **450 ml (environ 2 tasses)**
Idéale pour : **poisson, volaille, viande rouge, porc, légumes**

400 ml (environ 1 ⅔ tasse)
de sauce arrabbiata
·······
60 ml (¼ de tasse) de
crème à cuisson 15 %
·······
30 ml (2 c. à soupe) de
ciboulette fraîche hachée
·······

Dans une casserole, chauffer la sauce à feu moyen 1 minute. Incorporer la crème et la ciboulette. Prolonger la cuisson de 1 à 2 minutes à feu doux en remuant. Servir la sauce chaude ou froide.

Chaude au chili

Préparation : **5 minutes**
Cuisson : **5 minutes**
Quantité : **375 ml (1 ½ tasse)**
Idéale pour : **volaille, viande rouge, porc**

60 ml (¼ de tasse)
d'huile d'olive
·······
1 oignon haché
·······
250 ml (1 tasse)
de sauce chili
·······
125 ml (½ tasse) de sirop
d'érable
·······

30 ml (2 c. à soupe)
de cassonade
·······
2,5 ml (½ c. à thé)
de chipotle
·······

Dans une poêle, chauffer l'huile à feu moyen. Faire dorer l'oignon de 1 à 2 minutes. Ajouter le reste des ingrédients. Laisser mijoter à feu moyen 5 minutes. Réserver au frais jusqu'au moment de servir ou servir la sauce chaude.

Sauce safranée au poireau

Préparation : **10 minutes**
Cuisson : **10 minutes**
Quantité : **430 ml (1 ¾ tasse)**
Idéale pour : **poisson, fruits de mer, volaille, légumes**

5 pistils de safran

60 ml (¼ de tasse) de vin blanc sec

15 ml (1 c. à soupe) d'huile d'olive

1 poireau émincé

10 ml (2 c. à thé) d'ail haché

15 ml (1 c. à soupe) de farine

310 ml (1 ¼ tasse) de crème à cuisson 35 %

30 ml (2 c. à soupe) de persil frais haché

Infuser les pistils de safran dans le vin. Dans une casserole, chauffer l'huile à feu moyen. Faire revenir le poireau avec l'ail de 4 à 5 minutes, sans colorer. Saupoudrer de farine et remuer. Verser le vin avec le safran. Laisser réduire de moitié. Incorporer la crème et porter à ébullition. Laisser mijoter à feu doux 5 minutes. Ajouter le persil. Servir la sauce chaude.

Sauce aux fromages et fines herbes

Préparation : **5 minutes**
Cuisson : **2 minutes**
Quantité : **310 ml (1 ¼ tasse)**
Idéale pour : **volaille, viande rouge, porc, légumes**

125 ml (½ tasse) de crème à cuisson 15 %

5 ml (1 c. à thé) de thym frais haché

115 g de fromage bleu (de type Rosenborg)

115 g de fromage de chèvre (de type Capriny)

15 ml (1 c. à soupe) de ciboulette fraîche hachée

15 ml (1 c. à soupe) de persil frais haché

Dans une casserole, porter à ébullition la crème avec le thym. Incorporer les fromages et remuer jusqu'à ce qu'ils soient fondus. Ajouter les fines herbes. Servir la sauce chaude.

Réconfortantes fondues au fromage

Quoi de mieux qu'une bonne fondue au fromage après une journée passée à jouer dans la neige ? À l'italienne, à la normande ou à la mexicaine ; au bleu, au chèvre ou au brie, ce délice fromagé n'a de limites que votre imagination. Pour la nourrir, découvrez dans cette section une mine d'inspiration !

Fondue au bleu danois

Préparation : **20 minutes** • Quantité : **4 portions**

300 g de brie

400 g de fromage bleu danois

45 ml (3 c. à soupe) de noix de pin

30 ml (2 c. à soupe) de beurre

60 ml (¼ de tasse) de vin blanc sec

20 ml (4 c. à thé) de cognac

Poivre noir au goût

1. Retirer la croûte du brie puis tailler les fromages en petites lanières.

2. Dans le contenant du robot culinaire, hacher grossièrement les noix de pin.

3. Dans un caquelon, chauffer le beurre avec le vin et le cognac à feu moyen. Incorporer le brie et le bleu et remuer jusqu'à l'obtention d'une préparation homogène, en évitant de faire bouillir.

4. Ajouter le poivre. Servir avec des cubes de pain.

Le saviez-vous ?

Quel pain choisir ?

Afin que votre pain ne s'émiette pas lorsque vous le trempez dans le fromage, il est important de choisir une baguette à la croûte bien croustillante (il est même conseillé de l'acheter la veille). Lorsque vous la coupez, assurez-vous que chaque morceau a une partie croûtée, ce qui lui permettra de mieux tenir sur la fourchette.

Fondue au fromage à l'italienne

Préparation : **25 minutes** • Quantité : **de 4 à 6 portions**

POUR LA FONDUE :

600 g de fontina
ou de provolone

225 g de parmesan

1 gousse d'ail

375 ml (1 ½ tasse) de vin
blanc sec

1 pincée de muscade

Sel et poivre au goût

30 ml (2 c. à soupe) de grappa
(facultatif)

30 ml (2 c. à soupe) de fécule
de maïs

1 boîte de tomates en dés
de 540 ml, égouttées

ACCOMPAGNEMENTS
SUGGÉRÉS :

Baguette ciabatta,
coupée en cubes

Grissinis

Tranches de prosciutto

Tranches de salami

Tranches de mortadelle

Cœurs d'artichauts

Poivrons rouges
coupés en cubes

Tomates cerises

1. Râper les fromages.

2. Couper la gousse d'ail en deux puis frotter l'intérieur du caquelon avec chacune des moitiés.

3. Dans une casserole, verser le vin blanc. Porter à ébullition à feu moyen. Incorporer graduellement les fromages râpés en remuant avec une cuillère en bois.

4. Une fois les fromages fondus, ajouter la muscade, l'assaisonnement et la grappa.

5. Dans un petit bol, délayer la fécule de maïs dans un peu d'eau froide et incorporer dans la fondue. Chauffer 1 minute sans cesser de remuer.

6. Chauffer les dés de tomates au micro-ondes quelques secondes et les ajouter dans la préparation.

7. Transférer la fondue dans le caquelon préalablement réchauffé sous l'eau chaude.

8. Servir avec les accompagnements suggérés.

J'aime avec...

Salade mesclun

Dans un saladier, mélanger 60 ml ($\frac{1}{4}$ de tasse) d'huile d'olive avec 15 ml (1 c. à soupe) de vinaigre balsamique, 30 ml (2 c. à soupe) de noix de pin et 30 ml (2 c. à soupe) de basilic frais émincé. Saler et poivrer. Ajouter 750 ml (3 tasses) de mesclun. Couper le quart d'un oignon rouge en fines rondelles et en parsemer la salade.

Fondue normande

Préparation : **15 minutes** • Quantité : **4 portions**

300 g d'emmenthal

300 g de gruyère

250 ml (1 tasse) de jus
de pomme

2 pommes Délicieuse
jaune râpées

1 gousse d'ail

15 ml (1 c. à soupe) de fécule
de maïs

45 ml (3 c. à soupe) de jus
de citron

10 ml (2 c. à thé) de muscade

1. Râper les fromages.

2. Dans une casserole, porter à ébullition
le jus de pomme avec les pommes râpées
et l'ail.

3. Délayer la fécule de maïs dans le jus
de citron.

4. Ajouter les fromages râpés ainsi que
la fécule délayée dans la casserole. Remuer
jusqu'à l'obtention d'une préparation
homogène.

5. Assaisonner avec la muscade.

6. Transférer la fondue dans le caquelon
préalablement réchauffé sous l'eau
chaude. Servir avec des cubes de pain.

Le saviez-vous ?

Que faire quand le fromage fige ?

Pendant le repas, si le fromage devient trop épais, augmentez
simplement la chaleur du réchaud ou diluez le fromage avec
un peu de vin blanc légèrement réchauffé au micro-ondes.

Fondue aux trois fromages et poulet mariné

Préparation : **35 minutes** • Marinage : **2 heures**
Cuisson : **8 minutes** • Quantité : **de 4 à 6 portions**

POUR LE POULET :

500 g (environ 1 lb) de poitrines
de poulet, sans peau
....
125 ml (½ tasse) de bière
....
10 ml (2 c. à thé) de thym
frais haché
....
5 ml (1 c. à thé) de romarin
frais haché
....
30 ml (2 c. à soupe) d'huile
de canola
....

POUR LA FONDUE
AU FROMAGE :

225 g de fromage Oka râpé,
la croûte enlevée
....
300 g de cheddar râpé
....
300 g de mozzarella râpée
....
30 ml (2 c. à soupe) de fécule
de maïs
....
1 gousse d'ail
....
375 ml (1 ½ tasse) de bière blonde
....
Sel et poivre du moulin au goût
....

ACCOMPAGNEMENTS
SUGGÉRÉS :

Brocoli coupé en bouquets
....
½ baguette de pain
coupée en cubes
....

1. Tailler les poitrines de poulet en cubes d'environ 2 cm (¾ de po).

2. Dans un contenant hermétique, verser la bière pour le poulet. Ajouter les fines herbes et les cubes de poulet. Refermer le contenant. Laisser mariner au frais de 2 à 3 heures.

3. Dans une casserole d'eau bouillante salée, cuire les bouquets de brocoli de 2 à 3 minutes. Refroidir sous l'eau très froide et égoutter.

4. Au moment du repas, cuire le poulet. Dans une poêle, chauffer l'huile à feu moyen-vif. Égoutter la viande et jeter la marinade. Cuire les cubes de poulet de 8 à 10 minutes, jusqu'à ce qu'ils soient dorés et que l'intérieur de la chair ait perdu sa teinte rosée. Réserver au chaud pendant la préparation de la fondue au fromage.

5. Dans un bol, mélanger les fromages râpés avec la fécule.

6. Couper la gousse d'ail en deux et frotter l'intérieur du caquelon avec chacune des moitiés.

7. Dans une casserole, verser la bière et chauffer à feu moyen jusqu'aux premiers frémissements. Laisser mijoter 5 minutes et incorporer graduellement les fromages en remuant avec une cuillère en bois. Remuer jusqu'à l'obtention d'une préparation homogène. Assaisonner.

8. Transvider la fondue dans un caquelon préalablement réchauffé sous l'eau chaude. Servir avec les accompagnements suggérés.

Fondue québécoise

Préparation : **25 minutes** • Quantité : **de 4 à 6 portions**

POUR LA FONDUE :

225 g de fromage Le fin Renard

225 g de fromage Le P'tit bonheur

225 g de fromage Le Lotbinière

375 ml (1 ½ tasse) de bière blonde

125 ml (½ tasse) de crème
à cuisson 15 %

15 ml (1 c. à soupe) de fécule
de maïs

60 ml (¼ de tasse)
de sirop d'érable

Sel et poivre au goût

1 gousse d'ail

1. Retirer les croûtes des fromages. Râper finement les fromages.

2. Dans une casserole, verser la bière et la crème. Chauffer jusqu'aux premiers frémissements à feu moyen.

3. Réduire à feu doux et incorporer graduellement les fromages râpés en remuant avec une cuillère en bois.

4. Délayer la fécule de maïs dans un peu d'eau froide. Une fois les fromages fondus, verser le sirop d'érable et la fécule délayée. Assaisonner et cuire 1 minute sans cesser de remuer.

5. Réchauffer le caquelon sous l'eau chaude. Couper la gousse d'ail en deux et frotter l'intérieur du caquelon avec chacune des moitiés.

6. Transférer la fondue dans le caquelon. Servir avec des morceaux de brocoli blanchis, des cubes de pain et de jambon.

Le saviez-vous ?

Comment préparer une fondue au fromage classique

À l'aide d'un couteau, retirer la croûte des blocs de fromage (600 g pour 4 personnes). Râper grossièrement les fromages. Couper une gousse d'ail en deux et en frotter les parois intérieures du caquelon. Hacher l'ail finement pour aromatiser la fondue.

Porter à ébullition 500 ml (2 tasses) de vin blanc avec du poivre et l'ail haché. Baisser l'intensité du feu et incorporer progressivement les fromages. Remuer après chaque ajout de fromage, en dessinant des huit avec une cuillère en bois afin de prévenir la formation de grumeaux. Laisser fondre le fromage à feu doux afin qu'il se lie bien au vin et conserve une texture homogène.

Délayer 15 ml (1 c. à soupe) de fécule de maïs dans 45 ml (3 c. à soupe) de kirsch. Si vous n'avez pas de kirsch, vous pouvez le remplacer par de l'eau. Incorporer la fécule à la préparation. Sans cesser de remuer, faire chauffer 1 minute. Servir immédiatement.

Fondue mexicaine

Préparation : **25 minutes** • Quantité : **de 4 à 6 portions**

POUR LA FONDUE :

300 g de cheddar jaune

300 g de Monterey Jack

330 ml (1 ⅓ tasse) de bière mexicaine

10 ml (2 c. à thé) d'ail haché

Piments jalapeños hachés au goût

15 ml (1 c. à soupe) de fécule de maïs

30 ml (2 c. à soupe) de tequila (facultatif)

125 ml (½ tasse) de crème à cuisson 15 %

30 ml (2 c. à soupe) de coriandre fraîche hachée

ACCOMPAGNEMENTS SUGGÉRÉS :

Maïs miniatures

Poivron vert coupé en bâtonnets

Mini-carottes

Nachos

Tomates cerises

1. Râper les fromages.

2. Dans une casserole, porter à ébullition la bière avec l'ail et les piments.

3. Incorporer graduellement les fromages râpés en remuant avec une cuillère en bois jusqu'à ce qu'ils soient fondus.

4. Délayer la fécule de maïs dans la tequila ou dans un peu d'eau froide. Incorporer dans la fondue avec la crème et la coriandre. Cuire 1 minute en remuant.

5. Transférer dans un caquelon préalablement réchauffé sous l'eau chaude. Servir avec les accompagnements suggérés.

J'aime parce que...

C'est parfait pour un 5 à 7 !

Quand l'heure de l'apéro a sonné et que les amis sont au rendez-vous, il faut avoir de quoi se mettre sous la dent ! Pour accompagner une bière ou un verre de vin, la fondue mexicaine n'a pas d'égal et se fait des plus conviviales. Et en plus, ça change de nos classiques nachos !

Fondue au fromage de chèvre et noix de pin

Préparation : **15 minutes** • Quantité : **4 portions**

15 ml (1 c. à soupe) de fécule de maïs
....
60 ml (¼ de tasse) de vin blanc sec
500 ml (2 tasses) de crème à cuisson 35 %
500 g de fromage de chèvre
....
15 ml (1 c. à soupe) de fines herbes au choix
30 ml (2 c. à soupe) de noix de pin hachées
....

1. Délayer la fécule de maïs dans le vin blanc.

2. Dans une casserole, porter à ébullition la crème. Incorporer le fromage de chèvre, les fines herbes et la fécule délayée. Porter de nouveau à ébullition.

3. Transférer la préparation dans le contenant du mélangeur électrique. Ajouter les noix de pin et mélanger jusqu'à l'obtention d'une préparation homogène.

4. Transférer dans un caquelon préalablement réchauffé sous l'eau chaude. Servir avec des cubes de pain et des tranches de pommes.

Le saviez-vous ?

Les noix de pin

Comme leur nom l'indique, les noix de pin (ou « pignons ») proviennent de la pomme (cocotte) du pin parasol, un arbre caractéristique des régions méditerranéennes. Ces petites graines de couleur écrue constituent une bonne source de protéines végétales. De plus, les noix de pin contiennent des « bons » gras, des phytostérols ainsi que plusieurs vitamines et minéraux essentiels. Délicieux et santé !

Fondue au brie crémeux

Préparation : **10 minutes** • Cuisson : **15 minutes** • Quantité : **de 4 à 6 portions**

2 bries triple crème
de 200 g chacun
....
15 ml (1 c. à soupe)
d'huile d'olive
....

1. Préchauffer le four à 190 °C (375 °F).

2. Badigeonner les fromages d'huile d'olive et envelopper chacun d'eux dans deux feuilles de papier d'aluminium. Chauffer au four 15 minutes.

3. Déposer chacun des fromages dans une assiette, en les laissant partiellement enveloppés dans le papier d'aluminium afin de conserver la chaleur.

4. Inciser en « X » la croûte des fromages afin de dégager une ouverture. Servir avec des bâtonnets de légumes et des bâtonnets au sésame.

J'aime aussi...

Avec d'autres fromages

Le brie utilisé pour cette fondue peut facilement être remplacé par des fromages à pâte molle, comme le Fleurmier ou le Sir Laurier d'Arthabaska, ou encore par un camembert. Osez le changement, vous pourriez faire de belles découvertes !

Fondue au fromage et au crabe

Préparation : 20 minutes • Quantité : 4 portions

8 tranches de bacon
coupées en dés
....
1 blanc de poireau émincé
....
800 g de préparation à fondue
au fromage du commerce
....
1 boîte de chair de crabe
ou de goberge de 200 g,
égouttée
....

1. Dans une poêle, faire revenir les dés
de bacon avec le poireau.

2. Préparer la fondue au fromage selon
les indications de l'emballage.

3. Incorporer le bacon et la chair de crabe
à la préparation au fromage.

4. Transférer dans un caquelon préalablement
réchauffé sous l'eau chaude. Servir avec des
cubes de pain et des crostinis.

J'aime parce que...

C'est original !

Voilà une recette très simple qui se prépare avec un mélange
de fondue au fromage du commerce. Sa personnalité audacieuse
se révèle dans l'ajout de poireau, de bacon et de chair de crabe.

Une recette de Annie Tessier.

Mini-fondues au fromage

Préparation : **20 minutes** • Quantité : **4 portions**

POUR LA FONDUE :

115 g de fromage suisse

115 g d'emmenthal

115 g de gruyère

250 ml (1 tasse) de cidre

5 ml (1 c. à thé) d'ail haché

10 ml (2 c. à thé) de fécule de maïs

15 ml (1 c. à soupe) de calvados (facultatif)

Sel et poivre au goût

ACCOMPAGNEMENTS SUGGÉRÉS :

Pommes vertes tranchées

Poires tranchées

Raisins rouges

Craquelins au sésame

Noix variées

1. Râper les fromages.

2. Dans une casserole, porter à ébullition le cidre avec l'ail à feu moyen. Incorporer graduellement les fromages râpés en remuant avec une cuillère en bois. Remuer continuellement en formant des huit avec la cuillère jusqu'à l'obtention d'une préparation homogène.

3. Délayer la fécule de maïs dans le calvados ou dans un peu d'eau froide. Ajouter dans la fondue. Cuire 1 minute sans cesser de remuer. Saler et poivrer.

4. Transférer la fondue dans des bols préalablement réchauffés sous l'eau chaude. Servir en entrée ou en fin de repas avec les accompagnements suggérés.

J'aime avec...

Trou normand au cidre de glace

Mélanger 250 ml (1 tasse) de yogourt glacé à la vanille ramolli avec 2 pommes vertes râpées finement et 15 ml (1 c. à soupe) de zestes de citron. Placer au congélateur 1 heure. Façonner des boules de yogourt glacé et déposer dans quatre verres. Arroser chaque portion de 60 ml ($\frac{1}{4}$ de tasse) de cidre de glace.

Fondue à la bière

Préparation : **20 minutes** • Quantité : **4 portions**

750 ml (3 tasses) de bière blonde

1 gousse d'ail

450 g d'emmenthal râpé

450 g de fromage Oka râpé

10 gouttes de sauce Worcestershire

5 ml (1 c. à thé) de piment de Cayenne

30 ml (2 c. à soupe) de fécule de maïs

2 jaunes d'œufs

1. Dans une casserole, porter à ébullition la bière avec l'ail. Incorporer les fromages en remuant constamment. Ajouter la sauce Worcestershire et le piment de Cayenne.

2. Délayer la fécule de maïs dans un peu d'eau froide. Ajouter au mélange et porter de nouveau à ébullition.

3. Transférer dans un caquelon préalablement réchauffé sous l'eau chaude. Incorporer les jaunes d'œufs. Servir avec des cubes de pain.

Le saviez-vous ?

Pourquoi y a-t-il de l'alcool dans une fondue au fromage ?

Que ce soit du kirsch, de la bière, du cidre ou du vin, une fondue au fromage contient toujours une certaine quantité d'alcool. Ce n'est pas seulement une question de goût, mais aussi de chimie. En effet, sans alcool, impossible de dissoudre les grumeaux qui se forment dans la préparation. Même la chaleur, l'usage d'un fouet et l'ajout d'un autre liquide ne sont pas suffisants pour obtenir un mélange homogène et lisse.

Fondue au gouda

Préparation : 25 minutes • Quantité : de 4 à 6 portions

600 g de gouda râpé

15 ml (1 c. à soupe) de fécule
de maïs

1 gousse d'ail

250 ml (1 tasse) de vin blanc sec

45 ml (3 c. à soupe) de porto

2,5 ml (½ c. à thé) de muscade

Sel et poivre au goût

J'aime avec...

Crostinis aux fines herbes

Couper 1 petite baguette de pain
en 20 à 25 tranches minces et
larges. Mélanger 45 ml (3 c. à
soupe) de beurre fondu avec 30 ml
(2 c. à soupe) d'huile d'olive, 5 ml
(1 c. à thé) d'ail haché, 30 ml
(2 c. à soupe) de persil frais haché
et 30 ml (2 c. à soupe) de basilic
frais haché. Badigeonner les
tranches de pain avec ce mélange.
Déposer sur une plaque de cuisson et faire dorer au centre du
four 2 minutes de chaque côté
à la position «gril» (*broil*).

1. Dans un grand bol, mélanger le gouda
avec la fécule de maïs.

2. Couper la gousse d'ail en deux et frotter
l'intérieur d'une casserole avec chacune
des moitiés.

3. Dans la casserole, verser le vin blanc
et chauffer à feu moyen jusqu'aux premiers
frémissements. Incorporer graduellement
le fromage en remuant avec une cuillère en
bois jusqu'à l'obtention d'une préparation
homogène.

4. Ajouter le porto, la muscade et l'assaisonnement.

5. Transférer dans un caquelon préalablement
réchauffé sous l'eau chaude. Servir avec des
cubes de pain ou des crostinis aux fines herbes
(voir recette ci-contre).

D'ici et d'ailleurs

Leurs saveurs nous proviennent

des quatre coins du globe,

flirtant à tour de rôle avec

les parfums de l'Italie, de

la Grèce, du Vietnam, du Japon

ou de l'Indonésie. À l'huile

ou au bouillon, voici des fondues

qui feront le plus grand bonheur

des palais voyageurs.

Fondue bœuf et veau à l'italienne

Préparation : **40 minutes** • Cuisson : **20 minutes** • Quantité : **de 4 à 6 portions**

POUR LE BOUILLON :

1 recette de bouillon arrabbiata (voir page 32)

30 ml (2 c. à soupe) de basilic frais émincé

30 ml (2 c. à soupe) de grappa (facultatif)

POUR LES ACCOMPAGNEMENTS :

½ brocoli taillé en bouquets

200 g de mozzarella

200 g de fromage suisse

1 poivron jaune coupé en cubes

12 champignons coupés en deux

350 g (environ ¾ de lb) de bœuf à fondue

350 g (environ ¾ de lb) de veau à fondue

1. Préparer le bouillon arrabbiata quelques heures à l'avance afin de permettre aux saveurs de bien se mélanger.

2. Dans une casserole d'eau bouillante salée, blanchir les bouquets de brocoli 2 minutes. Égoutter.

3. Couper la mozzarella et le fromage suisse en petits dés.

4. Préparer deux assiettes de service. Dans la première, disposer les fromages et les légumes. Dans la seconde, disposer la viande. Réserver les assiettes au frais.

5. Au moment du repas, transférer le bouillon dans le caquelon. Incorporer le basilic et la grappa.

6. Cuire les accompagnements dans le bouillon. Si désiré, enrouler un dé de fromage dans une tranche de viande avant de la piquer sur la fourchette.

J'aime avec...

Linguines aux tomates séchées

Dans une casserole d'eau bouillante salée, cuire 350 g de linguines frais *al dente*. Égoutter et remettre dans la casserole. Ajouter 30 ml (2 c. à soupe) de basilic frais émincé, 30 ml (2 c. à soupe) de pesto aux tomates séchées, 60 ml (¼ de tasse) de parmesan râpé et 30 ml (2 c. à soupe) d'huile d'olive. Remuer.

Fondue kebab et bœuf

Préparation : **20 minutes** • Marinage : **30 minutes** • Cuisson : **5 minutes**
Quantité : **4 portions**

1 litre (4 tasses) d'huile
de pépins de raisin

POUR LES CUBES DE BŒUF :

30 ml (2 c. à soupe) de moutarde
de Dijon

15 ml (1 c. à soupe) de thym
frais haché

450 g (1 lb) de cubes
de bœuf à fondue

POUR LES KEBABS :

450 g (1 lb) d'agneau haché

30 ml (2 c. à soupe) de menthe
fraîche hachée

1 oignon haché finement

5 ml (1 c. à thé) de cumin

Sel et poivre au goût

1. Dans un bol, mélanger la moutarde avec le thym. Déposer les cubes de bœuf dans le bol. Laisser mariner 30 minutes au réfrigérateur.

2. Dans un autre bol, mélanger l'agneau avec la menthe, l'oignon, le cumin et l'assaisonnement. Façonner de petites boulettes d'environ 2,5 cm (1 po) de diamètre. Réserver au frais.

3. Verser l'huile dans le caquelon jusqu'aux deux tiers de sa capacité. Faire chauffer l'huile sur la cuisinière jusqu'à ce qu'elle atteigne une température de 190 °C (375 °F) sur un thermomètre à cuisson.

4. Déposer le caquelon sur le réchaud. Servir avec des pommes de terre cuites au four et des cornichons marinés.

J'aime avec...

Des sauces crémeuses

SAUCE DIJONNAISE

Mélanger 15 ml (1 c. à soupe) de moutarde douce avec 15 ml (1 c. à soupe) de moutarde de Dijon, 15 ml (1 c. à soupe) de miel, 180 ml (¾ de tasse) de mayonnaise et 30 ml (2 c. à soupe) de persil frais haché. Saler et poivrer. Fouetter la préparation jusqu'à l'obtention d'une consistance crémeuse. Réserver au frais jusqu'au moment de servir.

SAUCE AUX DATTES

Dans le contenant du robot culinaire, mélanger 1 paquet de fromage à la crème de 250 g avec le jus et le zeste de 1 citron, 8 dattes dénoyautées, 15 ml (1 c. à soupe) de persil frais haché et 5 ml (1 c. à thé) de cumin. Réserver au frais jusqu'au moment de servir.

Fondue thaï aux fruits de mer

Préparation : **40 minutes** • Cuisson : **15 minutes** • Quantité : **de 4 à 6 portions**

POUR LE BOUILLON :

30 ml (2 c. à soupe) d'huile de sésame (non grillé)

1 oignon émincé

10 ml (2 c. à thé) d'ail haché

15 ml (1 c. à soupe) de gingembre haché

1 litre (4 tasses) de fumet de poisson

1 boîte de lait de coco de 400 ml

30 ml (2 c. à soupe) de jus de lime

30 ml (2 c. à soupe) de pâte de cari rouge

2 bâtonnets de citronnelle, coupés en deux sur la longueur

60 ml (¼ de tasse) de feuilles de coriandre

POUR LES ACCOMPAGNEMENTS :

125 g de nouilles de riz larges (de type Thaï Kitchen)

1 poivron rouge émincé

500 ml (2 tasses) de chou nappa émincé

2 filets de tilapia coupés en morceaux d'environ 2 cm (¾ de po)

340 g (¾ de lb) de crevettes moyennes (calibre 31/40), crues et décortiquées

340 g (¾ de lb) de pétoncles moyens (calibre 20/30)

1. Réhydrater les nouilles selon les indications de l'emballage. Disposer les accompagnements dans des assiettes de service et réserver au frais.

2. Pendant ce temps, chauffer l'huile à feu moyen dans une casserole. Saisir l'oignon avec l'ail et le gingembre de 1 à 2 minutes. Ajouter le reste des ingrédients du bouillon, à l'exception de la coriandre. Porter à ébullition. Couvrir et laisser mijoter à feu doux-moyen de 15 à 20 minutes.

3. Transférer le bouillon dans le caquelon et ajouter la coriandre. Répartir les nouilles dans des bols selon le nombre de convives. Cuire les accompagnements à l'aide d'épuisettes.

J'aime avec...

SAUCE AU LAIT DE COCO ET SÉSAME

Dans une casserole, mélanger 180 ml (¾ de tasse) de lait de coco avec 60 ml (¼ de tasse) de beurre d'arachide, 30 ml (2 c. à soupe) de tahini, 30 ml (2 c. à soupe) de sauce soya, 15 ml (1 c. à soupe) de cassonade, 10 ml (2 c. à thé) de zestes de lime, 5 ml (1 c. à thé) de sambal oelek et 5 ml (1 c. à thé) de pâte de cari jaune. À feu moyen, chauffer jusqu'aux premiers frémissements en remuant. Retirer du feu et laisser tiédir. Réserver au frais jusqu'au moment de servir.

Fondue façon tempura

Préparation : **30 minutes** • Cuisson : **10 minutes** • Quantité : **de 4 à 6 portions**

1,5 litre (6 tasses) d'huile
de canola ou d'arachide
·······

POUR LES
ACCOMPAGNEMENTS :

1 brocoli
·······
1 poivron rouge
·······
1 paquet de tofu ferme
de 300 g, coupé en cubes
·······
340 g (¾ de lb) de crevettes
moyennes (calibre 31/40),
crues et décortiquées
·······
340 g (¾ de lb) de pétoncles
moyens (calibre 20/30)
·······

POUR LA PÂTE TEMPURA :

1 œuf
·······
250 ml (1 tasse) d'eau très froide
·······
250 ml (1 tasse) de farine
·······
15 ml (1 c. à soupe) de
gingembre haché
·······

1. Tailler le brocoli en petits bouquets et le poivron en lanières. Disposer les légumes et le tofu dans une assiette de service. Éponger les fruits de mer à l'aide de papier absorbant afin de retirer le maximum d'eau. Disposer les fruits de mer dans une assiette de service. Réserver les accompagnements au frais.

2. Au moment du repas, préparer la pâte tempura. Dans un grand bol, battre l'œuf légèrement. Verser l'eau très froide et fouetter. Incorporer graduellement la farine et le gingembre sans trop mélanger ; la pâte doit demeurer légèrement granuleuse. Répartir la pâte dans de petits bols selon le nombre de convives.

3. Dans une casserole, chauffer l'huile jusqu'à ce qu'elle atteigne une température de 190 °C (375 °F) sur un thermomètre à cuisson. Transférer doucement l'huile dans le caquelon et allumer immédiatement le réchaud.

4. Enrober de pâte les fruits de mer, les légumes et les cubes de tofu. Cuire dans l'huile chaude à l'aide de fourchettes à fondue ou de brochettes en bambou, jusqu'à ce que la pâte soit dorée et croustillante.

J'aime avec...

SALADE D'ÉPINARDS À L'ASIATIQUE

Dans un saladier, fouetter 45 ml (3 c. à soupe) d'huile de sésame avec 15 ml (1 c. à soupe) de miel, 15 ml (1 c. à soupe) de sauce soya, 15 ml (1 c. à soupe) de jus de lime et 5 ml (1 c. à thé) d'ail haché. Ajouter 1 contenant de bébés épinards de 142 g, 250 ml (1 tasse) de fèves germées et 1 carotte coupée en julienne. Remuer. Saler et poivrer au goût.

Fondue *shabu shabu*

Préparation : **30 minutes** • Cuisson : **5 minutes** • Quantité : **de 4 à 6 portions**

POUR LES ACCOMPAGNEMENTS :

450 g (1 lb) de steak de surlonge coupé en tranches minces, dans le sens contraire des fibres

1 paquet de tofu ferme de 300 g, coupé en dés (facultatif)

1 sachet de nouilles udon précuites de 250 g

16 crevettes moyennes (calibre 31/40), crues et décortiquées

16 pois mange-tout

8 shiitakes émincés

½ chou chinois émincé

½ poireau coupé en biseau

POUR LE BOUILLON :

1,75 litre (7 tasses) d'eau

2 sachets de dashi (bouillon en poudre) de 5 g chacun ou 60 ml (¼ de tasse) de fumet de poisson en poudre

1 oignon émincé

1. Disposer les accompagnements dans des assiettes de service. Réserver au frais.

2. Au moment du repas, préparer le bouillon. Dans une casserole, porter l'eau à ébullition. Ajouter le contenu des sachets de dashi et l'oignon. Cuire 5 minutes à feu doux. Verser le bouillon dans le caquelon.

3. À l'aide de baguettes chinoises ou de fourchettes à fondue, cuire la viande et les crevettes dans le bouillon. Pour les légumes et les nouilles udon, utiliser des épuisettes ou les plonger directement dans le bouillon et les recueillir à l'aide d'une grosse cuillère trouée.

J'aime avec...

Des sauces aux parfums asiatiques

SAUCE WASABI

Mélanger 125 ml (½ tasse) de crème sure avec 15 ml (1 c. à soupe) de miel, 15 ml (1 c. à soupe) de tahini et 5 ml (1 c. à thé) de wasabi en pâte. Réserver au frais jusqu'au moment de servir.

SAUCE TERIYAKI AU GINGEMBRE

Mélanger 80 ml (⅓ de tasse) de sauce soya légère avec 45 ml (3 c. à soupe) de mirin, 15 ml (1 c. à soupe) de jus de citron et 15 ml (1 c. à soupe) de gingembre haché. Réserver au frais jusqu'au moment de servir.

Fondue vietnamienne

Préparation : **30 minutes** • Cuisson : **8 minutes** • Quantité : **de 4 à 6 portions**

POUR LES ROULEAUX DE PRINTEMPS :

30 ml (2 c. à soupe) d'huile de sésame (non grillé)

15 ml (1 c. à soupe) de vinaigre de riz

2 oignons verts émincés

10 ml (2 c. à thé) de poivre concassé

3 poitrines de poulet, sans peau et émincées

20 crevettes moyennes (calibre 31/40), crues et décortiquées

12 à 18 galettes de riz (pour rouleaux de printemps)

2 carottes émincées finement

30 pois mange-tout coupés en deux

12 shiitakes émincés

1 laitue frisée verte émincée

Quelques feuilles de coriandre

125 ml (½ tasse) d'arachides en morceaux

POUR LE BOUILLON :

1,5 litre (6 tasses) d'eau

250 ml (1 tasse) de vinaigre de riz

45 ml (3 c. à soupe) de sucre

30 ml (2 c. à soupe) de gingembre haché

15 ml (1 c. à soupe) d'huile de sésame (non grillé)

15 ml (1 c. à soupe) d'ail haché

15 ml (1 c. à soupe) de sel

2 tiges de citronnelle, parées et émincées

1. Dans un bol, mélanger l'huile avec le vinaigre, les oignons verts et le poivre.

2. Disposer le poulet et les crevettes dans des assiettes de service. Napper le poulet et les crevettes de sauce. Couvrir et réserver au frais.

3. Une heure avant le repas, tremper chaque galette de riz environ 30 secondes dans une assiette creuse remplie d'eau tiède. Empiler les galettes sur une assiette de service en prenant soin d'insérer une feuille de papier parchemin entre chacune d'elles. Couvrir d'une pellicule plastique et réserver au frais.

4. Dans une casserole, mélanger tous les ingrédients du bouillon. Porter à ébullition et laisser mijoter à feu doux de 8 à 10 minutes.

5. Transférer le bouillon dans le caquelon.

6. Cuire le poulet, les crevettes et les légumes dans le bouillon de 2 à 3 minutes à l'aide d'épuisettes. Déposer une galette de riz sur une assiette. Garnir de laitue et de coriandre. Bien égoutter le contenu d'une épuisette puis déposer sur la laitue. Parsemer d'arachides. Replier trois des côtés de la feuille de riz sur la garniture et rouler en serrant bien. Servir avec la sauce orange et gingembre (voir recette ci-dessous).

J'aime avec...

SAUCE ORANGE ET GINGEMBRE

Dans une casserole, porter à ébullition 250 ml (1 tasse) de jus d'orange avec 15 ml (1 c. à soupe) de gingembre haché, 60 ml (¼ de tasse) d'échalotes sèches hachées, 60 ml (¼ de tasse) de miel, 60 ml (¼ de tasse) de ketchup, 5 ml (1 c. à thé) d'ail haché et une pincée de sel. Laisser mijoter à feu moyen de 5 à 6 minutes. Dans un petit bol, délayer 15 ml (1 c. à soupe) de fécule de maïs dans 10 ml (2 c. à thé) de jus de lime. Verser dans la casserole et remuer jusqu'à épaississement. Servir la sauce chaude.

Fondue à l'indienne

Préparation : 20 minutes • Marinage : 1 heure • Cuisson : 5 minutes
Quantité : 4 portions

795 g (1 ¾ lb) de poitrines
de poulet taillées en cubes
ou en lanières
......
1 litre (4 tasses) de bouillon
de poulet
......
20 ml (4 c. à thé) de cari
......

POUR LA MARINADE :

15 ml (1 c. à soupe) de poudre
de tandoori
......
10 ml (2 c. à thé) de gingembre
haché
......
5 ml (1 c. à thé) de cumin
......
5 ml (1 c. à thé) d'ail haché
......
Piment fort au goût
......

1. Dans un bol, mélanger ensemble les ingrédients de la marinade. Ajouter le poulet dans
le bol. Couvrir et laisser mariner 1 heure
au frais.

2. Dans une casserole, faire chauffer le bouillon de poulet jusqu'aux premiers frémissements. Ajouter le cari.

3. Transférer le bouillon dans le caquelon.

4. Piquer la viande sur des fourchettes et
tremper quelques minutes dans le bouillon.

J'aime avec...

Des sauces bien assorties

SAUCE CARI

Mélanger 80 ml ($\frac{1}{3}$ de tasse)
de mayonnaise avec 10 ml (2 c. à thé)
de cari et le jus de 1 citron. Réserver
au frais jusqu'au moment de servir.

SAUCE SÉSAME ET ARACHIDES

Mélanger 80 ml ($\frac{1}{3}$ de tasse) de
beurre d'arachide croquant avec
30 ml (2 c. à soupe) de graines de
sésame grillées, le jus de 1 lime, 30 ml
(2 c. à soupe) d'huile d'olive, du piment
fort et du sel au goût. Réserver au frais
jusqu'au moment de servir.

SAUCE INDIENNE PIQUANTE

Réduire en purée 1 concombre
pelé et épépiné avec 5 ml (1 c. à thé)
d'ail haché. Incorporer 375 g de yogourt
nature, 15 ml (1 c. à soupe) de cari, 5 ml
(1 c. à thé) de paprika, 5 ml (1 c. à thé) de piment de
Cayenne et du sel au goût. Réserver au frais jusqu'au
moment de servir.

Fondue à la grecque

Préparation : **35 minutes** • Cuisson : **20 minutes** • Quantité : **de 4 à 6 portions**

POUR LE BOUILLON :

15 ml (1 c. à soupe) d'huile d'olive
....

1 oignon émincé
....

1 carotte émincée
....

15 ml (1 c. à soupe) d'ail haché
....

1,25 litre (5 tasses) de bouillon
de bœuf
....

500 ml (2 tasses) de vin blanc
....

60 ml (¼ de tasse) de jus de citron
....

45 ml (3 c. à soupe) de menthe
fraîche émincée
....

30 ml (2 c. à soupe) de zestes
de citron
....

30 ml (2 c. à soupe) d'origan
frais émincé
....

15 ml (1 c. à soupe) de grains
de coriandre
....

Sel et poivre au goût
....

POUR LES ACCOMPAGNEMENTS :

450 g (1 lb) de poulet à fondue
....

400 g (environ 1 lb) d'agneau
à fondue
....

1 contenant de feta de 200 g,
coupée en cubes
....

16 olives farcies ou vertes
dénoyautées
....

1. Dans une casserole, chauffer l'huile à feu moyen. Faire revenir l'oignon avec la carotte et l'ail de 1 à 2 minutes. Ajouter le reste des ingrédients du bouillon et porter à ébullition. Couvrir et laisser mijoter à feu doux 20 minutes.

2. Pendant ce temps, disposer les accompagnements dans des assiettes de service.

3. Transférer le bouillon dans le caquelon.

4. Cuire les accompagnements dans le bouillon.

J'aime avec...

Pommes de terre grillées au four

Couper 6 pommes de terre en quartiers. Mélanger avec 30 ml (2 c. à soupe) d'huile d'olive, 15 ml (1 c. à soupe) de zestes de citron et 15 ml (1 c. à soupe) de grains de coriandre écrasés. Saler et poivrer. Sur une plaque de cuisson tapissée d'une feuille de papier parchemin, déposer les pommes de terre. Cuire au four de 20 à 25 minutes à 205 °C (400 °F).

Fondue à l'indonésienne

Préparation : **20 minutes** • Cuisson : **5 minutes** • Quantité : **4 portions**

POUR LE BOUILLON :

2 boîtes de lait de coco de 400 ml chacune

1 litre (4 tasses) de bouillon de poulet

15 ml (1 c. à soupe) de satay ou de beurre d'arachide

15 ml (1 c. à soupe) de cari

15 ml (1 c. à soupe) de gingembre haché

10 ml (2 c. à thé) de curcuma

Sel et poivre au goût

15 ml (1 c. à soupe) de pâte de cari rouge (facultatif)

POUR LES ACCOMPAGNEMENTS :

900 g (2 lb) de viande à fondue au choix (poulet, porc, bœuf…)

8 mini-bananes

12 mini-bok choys

12 mini-carottes blanchies

2 courgettes coupées en rondelles

1. Dans une grande casserole, verser tous les ingrédients du bouillon. Pour un bouillon plus piquant, incorporer la pâte de cari rouge. Porter à ébullition puis laisser mijoter à feu doux 5 minutes.

2. Disposer les accompagnements dans des assiettes de service.

3. Transférer le bouillon dans le caquelon.

4. Cuire les aliments dans le bouillon.

J'aime avec…

Un trio de sauces

SAUCE KETJAP MANIS

Mélanger 180 ml ($\frac{3}{4}$ de tasse) de sauce soya avec 30 ml (2 c. à soupe) de vinaigre de riz, 30 ml (2 c. à soupe) de cassonade, le jus de 2 limes, 10 ml (2 c. à thé) d'ail haché, 2 oignons verts émincés et du piment fort haché au goût. Laisser mariner 1 heure au frais avant de servir.

SAUCE SATAY RELEVÉE

Dans une casserole, chauffer 125 ml ($\frac{1}{2}$ tasse) de lait de coco avec le jus de 1 lime, 15 ml (1 c. à soupe) de miel, 5 ml (1 c. à thé) d'ail, 5 ml (1 c. à thé) de cari, du piment fort haché au goût ou quelques gouttes de tabasco et une pincée de sel. Porter à ébullition et incorporer 125 ml ($\frac{1}{2}$ tasse) de beurre d'arachide croquant. Retirer du feu et laisser tiédir. Réserver au frais jusqu'au moment de servir.

SAUCE COCO ET GINGEMBRE

Dans le contenant du robot culinaire, mélanger à basse vitesse 125 ml ($\frac{1}{2}$ tasse) de mayonnaise avec 60 ml ($\frac{1}{4}$ de tasse) de noix de coco non sucrée râpée, 1 banane écrasée, le jus de 1 lime, 15 ml (1 c. à soupe) de coriandre fraîche hachée, 10 ml (2 c. à thé) de gingembre haché, du sel et du poivre. Réserver au frais jusqu'au moment de servir.

Fondue des Îles à la volaille

Préparation : **25 minutes** • Cuisson : **5 minutes** • Quantité : **4 portions**

450 g (1 lb) de poitrines
de poulet ou de dindon,
sans peau

1 boîte de quenelles à l'orientale
de 16 morceaux (de type
Wong Wing), décongelées

POUR L'ENROBAGE CROUSTILLANT :

125 ml (½ tasse) de farine

3 œufs

60 ml (¼ de tasse) de lait
de coco

10 ml (2 c. à thé) de
gingembre haché

1 citron (zeste)

Sel et poivre au goût

125 ml (½ tasse) de germe de blé

250 ml (1 tasse) de noix de coco

1 litre (4 tasses) d'huile
de canola

1. Couper les poitrines de poulet en minces lanières d'environ 5 cm (2 po) de longueur. Piquer les lanières sur des brochettes de bambou. Réserver au frais.

2. Verser la farine dans une assiette creuse. Dans un bol, fouetter les œufs avec le lait de coco, le gingembre, le zeste du citron et l'assaisonnement. Dans une deuxième assiette, mélanger le germe de blé avec la noix de coco. Fariner les lanières de poulet et secouer pour enlever l'excédent. Tremper ensuite dans la préparation au lait de coco puis enrober du mélange au germe de blé.

3. Disposer les brochettes et les quenelles dans une assiette de service en prenant soin de ne pas les superposer.

4. Verser l'huile dans le caquelon jusqu'aux deux tiers de sa capacité. Faire chauffer l'huile sur la cuisinière jusqu'à ce qu'elle atteigne une température de 190 °C (375 °F) sur un thermomètre à cuisson.

5. Déposer le caquelon sur le réchaud. Cuire les brochettes et les quenelles dans l'huile jusqu'à ce qu'elles soient bien dorées et croustillantes.

J'aime avec...

Des sauces aux douces saveurs

SAUCE DES ÎLES

Mélanger 125 g de fromage à la crème ramolli avec 15 ml (1 c. à soupe) de rhum, du piment fort au goût et ½ boîte d'ananas en morceaux de 540 ml ou ¼ d'ananas frais taillé en petits dés. Incorporer de 1 à 2 gouttes d'essence de vanille, 5 ml (1 c. à thé) d'ail haché et une pincée de sel. Réserver au frais jusqu'au moment de servir.

SAUCE MIEL ET CARI

Fouetter 30 ml (2 c. à soupe) de moutarde à l'ancienne avec 30 ml (2 c. à soupe) de miel. Incorporer 15 ml (1 c. à soupe) de cari, 250 ml (1 tasse) de crème sure, 15 ml (1 c. à soupe) de ciboulette fraîche hachée, 15 ml (1 c. à soupe) de persil frais haché, du sel et du poivre. Réserver au frais jusqu'au moment de servir.

Fondue aux fruits de mer et fromage Doré-mi

Préparation : **30 minutes** • Cuisson : **5 minutes** • Quantité : **4 portions**

2 litres (8 tasses) d'huile de canola

POUR LA PÂTE :

500 ml (2 tasses) de farine

5 ml (1 c. à thé) de poudre
à pâte

1 bouteille de bière blonde
de 341 ml

15 ml (1 c. à soupe) de piment
d'Espelette

Sel au goût

**POUR LES
ACCOMPAGNEMENTS :**

24 grosses crevettes (calibre
16/20), crues et décortiquées

24 pétoncles moyens
(calibre 20/30)

2 paquets de fromage Doré-mi
d'environ 200 g chacun

**POUR LA SAUCE AUX PRUNES
ET CANNEBERGES :**

125 ml (½ tasse) de sauce
aux prunes du commerce

¼ de boîte de sauce aux
canneberges entières de 398 ml

60 ml (¼ de tasse) de jus d'orange

Sel et poivre au goût

**POUR LA SAUCE AUX TROIS
MOUTARDES ET ANETH :**

250 ml (1 tasse) de mayonnaise

15 ml (1 c. à soupe) de moutarde
de Dijon

15 ml (1 c. à soupe) de moutarde
douce

15 ml (1 c. à soupe) de moutarde
à l'ancienne

15 ml (1 c. à soupe) d'aneth
frais haché

1. Préparer la sauce aux prunes et canneberges. Dans une casserole, mélanger tous
les ingrédients et porter à ébullition. Laisser
mijoter à feu moyen de 6 à 8 minutes. Servir
la sauce chaude ou froide.

2. Préparer la sauce aux trois moutardes et
aneth en mélangeant tous les ingrédients.
Réserver au frais jusqu'au moment de servir.

3. Dans un bol, mélanger la farine avec la
poudre à pâte. Incorporer la bière en fouettant
jusqu'à l'obtention d'une consistance lisse.
Ajouter les assaisonnements. Verser la pâte
dans deux bols de service.

4. Bien éponger les fruits de mer afin de
retirer l'excédent d'eau. Couper le fromage
en cubes d'environ 1,5 cm (⅔ de po).

5. Verser l'huile dans le caquelon jusqu'aux
deux tiers de sa capacité. Chauffer l'huile sur
la cuisinière jusqu'à ce qu'elle atteigne une
température de 190 °C (375 °F) sur un thermomètre à cuisson.

6. Déposer le caquelon sur le réchaud.
Tremper les fruits de mer et les cubes de fromage dans la pâte. Cuire dans l'huile chaude
1 minute, jusqu'à ce que la pâte soit dorée
et croustillante.

Raclette
en vedette

Originaire de Suisse, ce mets

d'une grande convivialité

a traversé les frontières

helvétiques et se propose

à nous dans une multitude de

formules. De la plus classique

à la plus originale, retrouvez

des recettes succulentes

à déguster autour du gril...

à l'heure du souper

ou du déjeuner.

Raclette anglaise

Préparation : **5 minutes** • Quantité : **4 portions**

8 tranches de bacon
....
8 œufs
....
400 g de cheddar
tranché finement
....

1. Faire griller le bacon sur la plaque du four.

2. Pendant ce temps, casser un œuf dans chacun des poêlons et couvrir de tranches de cheddar. Faire cuire puis gratiner sous le gril. Servir avec des cornichons.

Le saviez-vous ?

Pourquoi des cornichons et des oignons au vinaigre ?

Si ces condiments accompagnent habituellement les raclettes, c'est tout simplement parce que le vinaigre qu'ils contiennent permet de mieux digérer le gras du fromage. De plus, pour les mêmes raisons, il est recommandé de boire du thé chaud en accompagnement de ce repas et d'éviter les boissons trop froides.

Raclette au chèvre et aux crevettes

Préparation : **20 minutes** • Quantité : **4 portions**

3 courgettes

1 aubergine

2 poivrons rouges

1 champignon portobello

1 mangue

2 bûchettes de fromage de chèvre de 250 g chacune

16 à 20 grosses crevettes (calibre 16/20), cuites et décortiquées

1. Couper les légumes, la mangue et les fromages en fines tranches. Disposer dans une assiette de service avec les crevettes.

2. Chauffer le gril à raclette et verser un peu d'huile de canola sur la plaque. Faire griller les légumes et la mangue sur la plaque.

3. Dans les poêlons, placer quelques tranches de légumes et de mangue grillées. Ajouter une crevette et couvrir d'une rondelle de fromage. Faire griller sous le gril.

J'aime avec...

Huile assaisonnée

Mélanger 45 ml (3 c. à soupe) d'huile de noisette avec 15 ml (1 c. à soupe) de ciboulette fraîche hachée, 15 ml (1 c. à soupe) de coriandre fraîche hachée, 30 ml (2 c. à soupe) de noisettes concassées, 2 oignons verts émincés, du sel et du poivre. Verser l'huile assaisonnée sur les légumes et le fromage contenus dans les poêlons avant de les faire griller sous le gril du four à raclette.

Raclette brunch

Préparation : **15 minutes** • Cuisson : **8 minutes** • Quantité : **4 portions**

10 pommes de terre grelots coupées en deux

8 tranches de bacon

8 saucisses

8 tranches de jambon

200 g de fromage Sir Laurier tranché finement

Sel et poivre au goût

1. Déposer les pommes de terre dans une casserole d'eau froide salée. Porter à ébullition et cuire de 8 à 10 minutes. Égoutter.

2. Sur la plaque du gril à raclette, cuire le bacon, les saucisses, le jambon et les pommes de terre.

3. Déposer le bacon, les saucisses, le jambon et les pommes de terre dans des poêlons et ajouter des tranches de fromage. Assaisonner. Faire griller sous le gril.

J'aime parce que...

C'est original pour le brunch !

Oui, ça change vraiment du brunch traditionnel ! Et en plus, rien de plus pratique lors d'une réception : il suffit de préparer les aliments et les condiments, puis chaque convive concocte son propre repas, selon ses goûts. Ainsi, tout le monde est content et l'hôte peut manger en même temps que ses invités !

Raclette dans la cheminée

Préparation : **20 minutes** • Quantité : **4 portions**

4 pommes de terre
......
600 g de fromage Oka
......

1. Allumer un feu et attendre d'avoir de belles braises rouges.

2. Envelopper les pommes de terre dans des feuilles de papier d'aluminium.

3. Déposer les pommes de terre dans les braises et le fromage sur une plaque de cuisson ou sur le fond d'une marmite en fonte retournée. Placer la plaque de cuisson de manière à ce que le fromage soit devant les braises. Racler le fromage au fur et à mesure qu'il fond et le recueillir dans une assiette.

4. Servir avec des charcuteries et les pommes de terre.

J'aime aussi...

Au four !

Vous ne disposez pas d'un foyer pour préparer cette recette ? Tranchez le fromage et disposez les tranches sur une plaque de cuisson couverte d'un papier parchemin. Faites fondre au four et vous obtiendrez sensiblement le même effet.

Raclette au saumon fumé et fromage bleu

Préparation : **20 minutes** • Quantité : **4 portions**

2 sacs d'épinards de 170 g chacun, équeutés

170 g de saumon fumé (environ 20 tranches)

250 g de fromage bleu crémeux (de type Bleubry) tranché

POUR L'HUILE ASSAISONNÉE :

60 ml (¼ de tasse) d'huile d'olive

30 ml (2 c. à soupe) d'échalotes sèches émincées

15 ml (1 c. à soupe) de ciboulette fraîche hachée

15 ml (1 c. à soupe) de câpres, égouttées

5 ml (1 c. à thé) de poivre du moulin

1. Dans une casserole d'eau bouillante salée, cuire les épinards de 1 à 2 minutes. Refroidir sous l'eau très froide et égoutter.

2. Disposer les épinards dans une assiette de service avec les tranches de saumon fumé et le fromage.

3. Dans un bol, mélanger l'huile avec les échalotes, la ciboulette, les câpres et le poivre.

4. Dans les poêlons, déposer quelques épinards cuits, 1 tranche de saumon et 1 tranche de fromage. Verser quelques gouttes d'huile assaisonnée. Faire griller sous le gril. Accompagner de pommes de terre rôties et d'une salade verte.

J'aime aussi...

Avec un autre fromage

Si vous n'êtes pas un adepte du bleu, d'autres fromages comme le Migneron, le Oka ou le Gouda fumé pourraient très bien le remplacer dans cette recette de raclette. Du brie ou de l'emmenthal serait aussi de mise.

Raclette de la mer

Préparation : 20 minutes • Marinage : 10 minutes • Quantité : 4 portions

POUR LES ACCOMPAGNEMENTS :

½ chou-fleur coupé
en petits bouquets

12 choux de Bruxelles

24 pois mange-tout

16 pétoncles moyens
(calibre 20/30)

16 crevettes moyennes
(calibre 31/40), crues
et décortiquées

450 g (1 lb) de filets
de saumon, sans peau
et coupés en cubes

115 g de fromage suisse
tranché

115 g de fromage Oka
à raclette tranché

115 g de brie tranché

POUR LA MARINADE :

60 ml (¼ de tasse) d'huile d'olive

10 ml (2 c. à thé) d'ail haché

60 ml (¼ de tasse) de vin
blanc sec

10 ml (2 c. à thé) de persil
frais haché

1. Dans une casserole d'eau bouillante salée, cuire les légumes 2 minutes. Refroidir sous l'eau très froide et égoutter.

2. Dans un bol, mélanger l'huile avec l'ail, le vin et le persil. Déposer les fruits de mer et les cubes de saumon dans le bol et faire mariner de 10 à 15 minutes au frais.

3. Disposer les accompagnements dans des assiettes de service.

4. Au moment du repas, préchauffer le gril à raclette. Huiler la plaque de l'appareil avec de l'huile d'olive. Faire griller les fruits de mer, les légumes et les cubes de saumon sur la plaque. Faire gratiner les fromages dans les poêlons sous le gril.

J'aime avec...

Pommes de terre au cari

Peler et couper en cubes 5 pommes de terre moyennes. Déposer dans une casserole et couvrir d'eau froide. Porter à ébullition et cuire 5 minutes. Égoutter. Dans un grand plat de cuisson, fouetter 30 ml (2 c. à soupe) d'huile d'olive avec 5 ml (1 c. à thé) d'ail haché, 10 ml (2 c. à thé) de cari et 15 ml (1 c. à soupe) de zestes de citron. Saler et poivrer. Ajouter les pommes de terre et remuer. Cuire au four de 20 à 25 minutes à 205 °C (400 °F).

Raclette à la grecque

Préparation : **25 minutes** • Marinage : **1 heure** • Quantité : **4 portions**

POUR LES ACCOMPAGNEMENTS :

5 pommes de terre moyennes

340 g (¾ de lb) de côtelettes
de porc sans os

340 g (¾ de lb) de steaks
de bœuf de surlonge

1 poivron rouge coupé
en cubes

1 poivron jaune coupé en cubes

340 g de feta tranchée

16 mini-pitas

POUR LA MARINADE :

80 ml (⅓ de tasse)
d'huile d'olive

15 ml (1 c. à soupe)
d'assaisonnements
à la grecque

15 ml (1 c. à soupe) de zestes
de citron

5 ml (1 c. à thé) d'ail haché

1. Couper les pommes de terre en quartiers. Déposer dans une casserole d'eau froide et porter à ébullition. Cuire 5 minutes. Égoutter.

2. Couper le porc et le bœuf en lanières de 0,5 cm (¼ de po) d'épaisseur.

3. Dans un grand bol, mélanger l'huile avec les assaisonnements, les zestes et l'ail. Transférer la moitié de la préparation dans un grand récipient. Déposer les lanières de viande dans le récipient et les légumes dans le bol. Faire mariner au frais de 1 à 2 heures.

4. Piquer les lanières de viande sur des brochettes de bambou.

5. Préchauffer le gril à raclette. Huiler la plaque de l'appareil avec de l'huile d'olive. Faire griller les brochettes, les pommes de terre et les poivrons sur la plaque de 2 à 3 minutes de chaque côté. Déposer des tranches de feta dans les poêlons et faire gratiner sous le gril. Servir avec les pitas légèrement chauffés sur la plaque.

J'aime avec...

Salade grecque

Dans un saladier, fouetter 60 ml (¼ de tasse) d'huile d'olive avec 15 ml (1 c. à soupe) de jus de citron, 30 ml (2 c. à soupe) de menthe fraîche hachée et 15 ml (1 c. à soupe) d'origan frais haché. Saler et poivrer. Ajouter 16 tomates cerises coupées en deux, ½ oignon rouge émincé, ½ concombre épépiné et émincé ainsi que 1 laitue frisée déchiquetée. Remuer.

Raclette asiatique

Préparation : 25 minutes • Marinage : 30 minutes • Quantité : 4 portions

POUR LA MARINADE :

30 ml (2 c. à soupe) d'huile
de sésame (non grillé)
....
15 ml (1 c. à soupe) de zestes
de lime
....
15 ml (1 c. à soupe) de sauce soya
....
15 ml (1 c. à soupe) de miel
....
15 ml (1 c. à soupe) de
gingembre haché
....
5 ml (1 c. à thé) d'ail haché
....

POUR LES ACCOMPAGNEMENTS :

32 crevettes moyennes
(calibre 31/40), crues
et décortiquées
....
2 poitrines de poulet,
sans peau
et coupées en lanières
de 1 cm (½ po) d'épaisseur
....
2 fromages Doré-mi d'environ
200 g chacun, tranchés
....

1. Dans un grand bol, mélanger tous les ingrédients de la marinade. Ajouter les crevettes et les lanières de poulet. Faire mariner au frais 30 minutes.

2. Au moment du repas, piquer les crevettes et les lanières de poulet sur des brochettes de bambou.

3. Préchauffer le gril à raclette. Huiler la plaque de l'appareil avec de l'huile d'olive. Faire griller les brochettes et les tranches de fromage sur la plaque de 1 à 2 minutes de chaque côté.

J'aime avec...

Salade de mangues

Dans un saladier, mélanger 30 ml (2 c. à soupe) de miel avec 30 ml (2 c. à soupe) de coriandre fraîche hachée et 15 ml (1 c. à soupe) de jus de lime. Ajouter 2 mangues coupées en quartiers, 6 shiitakes émincés, 12 pois mange-tout coupés en deux, 1 poivron rouge émincé, 1 oignon émincé, du sel et du poivre. Déposer un peu de salade de mangues dans les poêlons et cuire de 3 à 4 minutes sous le gril.

Festin mexicain

Préparation : **25 minutes** • Marinage : **1 heure** • Quantité : **4 portions**

3 poitrines de poulet,
sans peau
....
1 poivron rouge
....
1 poivron jaune
....
2 oignons
....
30 ml (2 c. à soupe)
d'huile d'olive
....
10 ml (2 c. à thé) d'ail haché
....
½ sachet d'assaisonnements
à fajitas (de type Old El Paso)
....
250 g de cheddar jaune
....
8 à 12 petites tortillas
....

1. Tailler les poitrines de poulet en lanières. Émincer les poivrons et les oignons.

2. Dans un bol, mélanger l'huile avec l'ail et les assaisonnements à fajitas. Ajouter le poulet et les légumes dans le bol. Faire mariner de 1 à 2 heures au réfrigérateur.

3. Râper le fromage.

4. Au moment du repas, préchauffer le gril à raclette et verser un peu d'huile de canola sur la plaque. Faire griller les aliments marinés sur la plaque chaude et le fromage dans les poêlons sous le gril.

5. Si désiré, réchauffer les tortillas quelques secondes au micro-ondes. Garnir les tortillas de poulet, de légumes, de fromage fondu, de salsa et de guacamole.

J'aime avec...

Des accompagnements typiquement mexicains

Guacamole : réduire la chair de 2 avocats en purée. Incorporer le jus de 2 limes et 30 ml (2 c. à soupe) de coriandre fraîche hachée. Saler et ajouter quelques gouttes de tabasco.

Salsa : couper 3 tomates et 1 oignon en dés. Déposer dans un bol. Incorporer 60 ml (¼ de tasse) de ketchup.

Pizza raclette à l'italienne

Préparation : 30 minutes • **Quantité : 6 portions**

6 pitas de 20 cm (8 po) de diamètre

POUR LA SAUCE :

250 ml (1 tasse) de sauce tomate

15 ml (1 c. à soupe) de pesto
aux tomates séchées

30 ml (2 c. à soupe) de basilic
frais émincé

POUR LES GARNITURES :

16 asperges

8 champignons coupés
en quatre

2 oignons émincés

1 poivron jaune émincé

340 g (¾ de lb) de poitrines
de poulet, sans peau
et émincées

8 tranches de prosciutto

250 ml (1 tasse) de bébés épinards

250 ml (1 tasse) de mozzarella
râpée

250 ml (1 tasse) de cheddar râpé

1. Dans une casserole d'eau bouillante salée, faire blanchir les asperges de 2 à 3 minutes. Égoutter et rafraîchir sous l'eau très froide. Égoutter de nouveau.

2. Dans un bol, mélanger la sauce tomate avec le pesto et le basilic.

3. Couper chacun des pitas en huit pointes.

4. Au moment du repas, préchauffer le gril à raclette et huiler la plaque avec de l'huile d'olive. Faire griller les garnitures sur la plaque de 2 à 3 minutes de chaque côté. Déposer les pointes de pita dans les poêlons. Napper de sauce tomate puis garnir de légumes et de viande. Parsemer de fromage et faire gratiner quelques minutes sous le gril.

J'aime parce que...

La pizza, ça peut être santé !

Malgré l'étiquette *fast-food* qu'on lui accole, la pizza peut se classer parmi les mets santé si elle contient les quatre groupes du *Guide alimentaire canadien* ! Il suffit de la préparer avec des chairs plus maigres (poulet, porc, fruits de mer...) plutôt qu'avec des charcuteries, et de la garnir d'un max de légumes. De plus, un fromage allégé (moins de 18 % de matières grasses) et une pâte de blé entier sont à favoriser pour obtenir un repas sain et complet.

Une recette de Christine Lacroix, nutritionniste

Raclette aux saucisses italiennes et filet de porc

Préparation : **10 minutes** • Marinage : **30 minutes** • Quantité : **4 portions**

2 filets de porc de 340 g
(¾ de lb) chacun
....
4 saucisses italiennes
....
115 g de cheddar tranché
....
115 g de brie tranché
....
115 g de fromage suisse
tranché
....

POUR LA MARINADE :

30 ml (2 c. à soupe)
d'huile d'olive
....
10 ml (2 c. à thé)
de moutarde sèche
....
10 ml (2 c. à thé) de thym
frais haché
....
½ oignon
....

1. Tailler les filets de porc et les saucisses en tranches de 1 cm (½ po) d'épaisseur.

2. Dans un grand bol, mélanger les ingrédients de la marinade. Ajouter les tranches de porc et les saucisses dans le bol. Faire mariner au frais de 30 à 45 minutes.

3. Au moment du repas, préchauffer le gril à raclette. Huiler la plaque de l'appareil avec de l'huile d'olive. Faire griller les tranches de porc et de saucisses sur la plaque de 2 à 3 minutes de chaque côté. Déposer les tranches de fromage dans les poêlons et faire gratiner quelques minutes sous le gril. Servir avec des cornichons marinés, des oignons perlés marinés, des olives noires et de la moutarde de Dijon.

J'aime avec...

Pommes de terre grelots et carottes à l'érable

Couper 12 pommes de terre grelots en deux et 2 carottes en biseau. Déposer dans une casserole et couvrir d'eau froide. Porter à ébullition et cuire 5 minutes. Égoutter. Dans un grand plat de cuisson, fouetter 30 ml (2 c. à soupe) de sirop d'érable avec 15 ml (1 c. à soupe) d'épices cajun et 5 ml (1 c. à thé) de romarin frais haché. Ajouter les légumes et remuer. Cuire au four de 15 à 20 minutes à 205 °C (400 °F).

Raclette traditionnelle

Préparation : **15 minutes** • Quantité : **4 portions**

8 à 10 pommes de terre
....
625 g de fromages
à raclette variés tranchés
....

1. Faire cuire les pommes de terre entières dans l'eau ou au four en conservant la pelure.

2. Dans les poêlons, placer une ou deux tranches de fromage et faire fondre sous le gril. Servir avec les pommes de terre, des charcuteries (jambon, prosciutto, mortadelle, salami, viande des Grisons…), des marinades (cornichons, oignons perlés…) et des olives.

Le saviez-vous ?

D'où vient la raclette ?

La raclette existe depuis des siècles et puise ses origines dans le canton du Valais, en Suisse. Avant la seconde moitié du 20e siècle, cette dernière se faisait au feu de bois, à partir d'une demi-meule de fromage dont on dirigeait la surface à faire fondre vers la flamme. Cette technique est toujours utilisée, mais les fours à raclette électriques qui ont vu le jour depuis nous proposent une version simplifiée de ce mets ancestral.

Raclette style tartiflette

Préparation : **15 minutes** • Cuisson : **10 minutes** • Quantité : **4 portions**

8 tranches de bacon fumé
....
4 pommes de terre
....
250 g de fromage
Cantonnier tranché
....
250 ml (1 tasse) de crème
à cuisson 35 %
....
Poivre au goût
....

1. Couper le bacon en morceaux. Cuire le bacon dans une poêle ou au micro-ondes.

2. Peler et trancher finement les pommes de terre. Déposer dans une casserole d'eau froide salée. Porter à ébullition et cuire environ 10 minutes, jusqu'à tendreté. Égoutter.

3. Dans un poêlon, déposer quelques tranches de pommes de terre. Parsemer de morceaux de bacon et couvrir d'une tranche de fromage. Napper de crème et assaisonner. Faire griller au four ou sous le gril du four à raclette.

Le saviez-vous ?

Qu'est-ce qu'une tartiflette ?

On dit de cette raclette qu'elle est de style tartiflette, car elle se compose des mêmes ingrédients. En effet, ce mets originaire de Haute-Savoie (France) consiste en une couche de pommes de terre, d'oignons et de lardons sur laquelle on dépose une meule de reblochon tranchée en deux. On complète en nappant soit de crème, soit de vin blanc puis on fait griller au four. Et son nom ? Tartiflette provient du mot *tartiflâ*, qui signifie « pomme de terre » en savoyard.

Raclette aux champignons, fromage Oka et prosciutto

Préparation : **20 minutes** • Quantité : **4 portions**

30 ml (2 c. à soupe) d'huile d'olive
....

250 ml (1 tasse) de champignons émincés
....

250 ml (1 tasse) de pleurotes émincés
....

250 ml (1 tasse) de shiitakes émincés
....

2 oignons émincés
....

12 à 16 tranches de prosciutto
....

12 à 16 tranches de fromage Oka
....

Poivre du moulin au goût
....

30 ml (2 c. à soupe) de vinaigre balsamique
....

1. Préchauffer le gril à raclette et huiler la plaque. Cuire les champignons et les oignons sur la plaque.

2. Dans les poêlons, déposer quelques légumes cuits. Couvrir d'une demi-tranche de prosciutto et d'une tranche de fromage. Assaisonner de poivre et d'un filet de vinaigre balsamique. Glisser les poêlons sous le gril à raclette et faire gratiner. Accompagner de pommes de terre au four.

Le saviez-vous ?

L'histoire du fromage Oka

En 1893, fraîchement arrivé à l'abbaye d'Oka, le frère Marie-Alphonse Juin met son expérience et ses connaissances à profit pour créer ce qui deviendra l'un des premiers fromages fins du Québec. En effet, cet ancien fromager de l'abbaye Notre-Dame du Port-du-Salut, en France, s'inspire du fromage français Port-Salut pour créer le Oka. Depuis, ce dernier, au goût de fruits et de noisettes, a assuré la prospérité du monastère. Maintenant propriété de la compagnie Agropur, le Oka est pourtant toujours affiné dans les caves de l'abbaye.

Raclette forestière

Préparation : **15 minutes** • Quantité : **4 portions**

1 casseau de champignons blancs
....
1 casseau de pleurotes
....
1 casseau de shiitakes
....
1 casseau de portobellos
....
1 casseau de champignons café
....
30 ml (2 c. à soupe) d'huile d'olive
....
30 ml (2 c. à soupe) d'échalotes sèches hachées
....
Sel et poivre au goût
....
8 tranches de dinde fumée
....
8 tranches de jambon fumé
....
1 fromage de chèvre tranché
....

1. Émincer les champignons et les faire sauter dans l'huile d'olive. Ajouter les échalotes. Assaisonner.

2. Déposer une tranche de dinde ou de jambon au fond d'un poêlon. Ajouter un peu de champignons et une tranche de fromage. Faire griller sous le gril. Servir avec des pommes de terre cuites au four.

J'aime aussi...

Avec d'autres fromages

Vous avez en aversion le goût du chèvre ? D'autres fromages peuvent très bien le remplacer. Dans cette recette, bleu, cheddar fort, suisse ou gruyère sauront prendre sa relève avec brio.

Crêpes dessert sur le gril

Préparation : **20 minutes** • Réfrigération : **15 minutes** • Quantité : **4 portions**

POUR LA PÂTE À CRÊPES :

250 ml (1 tasse) de farine
....
1 pincée de sel
....
5 ml (1 c. à thé) de
poudre à pâte
....
250 ml (1 tasse) de lait
....
30 ml (2 c. à soupe)
de beurre fondu
....
45 ml (3 c. à soupe) de sucre
....
2 œufs
....

POUR LA GARNITURE FRAISES-BLEUETS :

6 à 8 fraises coupées en dés
....
125 ml (½ tasse) de bleuets
....
1 paquet de fromage à la crème
aux fraises de 250 g, ramolli
....

POUR LA GARNITURE CHOCOLAT-GUIMAUVES :

200 g de chocolat Toblerone,
coupé en morceaux
....
250 ml (1 tasse) de mini-guimauves
....

POUR LA GARNITURE MANGUE-FRAMBOISES :

1 mangue coupée en dés
....
250 ml (1 tasse) de framboises
....
80 ml (⅓ de tasse)
de sirop d'érable
....

1. Dans un bol, mélanger la farine avec le sel et la poudre à pâte. Dans un autre bol, fouetter le lait avec le reste des ingrédients de la pâte à crêpes. Incorporer graduellement aux ingrédients secs en fouettant. Réserver au frais 15 minutes.

2. Mélanger les ingrédients de chacune des garnitures dans des bols.

3. Préchauffer le gril à raclette et huiler la plaque de l'appareil avec de l'huile de canola. Verser sur la plaque environ 45 ml (3 c. à soupe) de pâte par crêpe. Cuire 1 minute de chaque côté.

4. Pendant ce temps, déposer les garnitures dans les poêlons et chauffer quelques minutes sous le gril. Garnir les crêpes avec les garnitures chaudes.

Divines fondues dessert

Impossible de ne pas penser à la fondue au chocolat lorsque l'on évoque les fondues dessert ! Il existe pourtant une multitude de fondues pour les dents sucrées… Caramel et fleur de sel, crème d'érable et arachides, fraises, mochaccino ne sont que quelques exemples pour vous mettre l'eau à la bouche !

Fondue au chocolat blanc et rhum

Préparation : **20 minutes** • Quantité : **4 portions**

300 g de chocolat blanc

30 ml (2 c. à soupe) de beurre

250 ml (1 tasse) de lait

15 ml (1 c. à soupe) de rhum

1. Dans un bain-marie, faire fondre le chocolat blanc avec le beurre et le lait.

2. Ajouter le rhum.

3. Transférer la fondue dans le plat à fondue dessert. Servir avec des morceaux de poires.

Le saviez-vous ?

Le chocolat blanc

Le chocolat blanc est composé de beurre de cacao, de lait en poudre et de sucre. Contrairement au chocolat au lait et au chocolat noir, il est exempt de pâte de cacao, ce qui explique sa teinte ivoire... ainsi que le fait que plusieurs spécialistes disent que le chocolat blanc n'est pas du « vrai » chocolat. En effet, la pâte de cacao doit entrer dans la composition de ce dernier pour qu'il puisse porter le nom de « chocolat ». Mais peu importe : son goût en fait succomber plus d'un !

Fondue au caramel et fleur de sel

Préparation : **20 minutes** • Quantité : **de 4 à 6 portions**

60 ml (¼ de tasse) d'eau

250 ml (1 tasse) de sucre

1 boîte de lait concentré sucré de 300 ml

250 ml (1 tasse) de crème à cuisson 35 %

30 ml (2 c. à soupe) de farine

30 ml (2 c. à soupe) de beurre fondu

5 ml (1 c. à thé) de fleur de sel

1. Dans une casserole, verser l'eau et ajouter le sucre. Chauffer à feu doux-moyen de 4 à 5 minutes, sans remuer, jusqu'à l'obtention d'un caramel ambré.

2. Ajouter le lait concentré sucré et la crème en remuant à l'aide d'une cuillère en bois.

3. Dans un bol, mélanger la farine avec le beurre et ajouter à la préparation. Porter à ébullition en fouettant.

4. Transférer la préparation dans le plat à fondue dessert et saupoudrer de fleur de sel. Servir avec des quartiers de pomme et des biscuits feuilletés.

Le saviez-vous ?

La fleur de sel

À la surface des marais salants, l'évaporation laisse de fins cristaux de sel qui seront récoltés à la main. D'un goût plus délicat et d'une texture légère et croquante, la fleur de sel ainsi produite sait agrémenter les mets salés aussi bien que les plats sucrés. Parce que son pouvoir salant est plus grand que celui du sel ordinaire, n'ajoutez la fleur de sel qu'en fin de cuisson ou saupoudrez-en légèrement le contenu de votre assiette.

Fondue piña colada au chocolat blanc

Préparation : **20 minutes** • Quantité : **4 portions**

1 boîte de lait de coco de 400 ml
....
125 ml (½ tasse) de sucre
....
125 ml (½ tasse) de jus d'ananas
....
30 ml (2 c. à soupe) de rhum
....
15 ml (1 c. à soupe) de jus
de lime
....
100 g de chocolat blanc
....
30 ml (2 c. à soupe) de fécule
de maïs
....

1. Dans une casserole, porter à ébullition à feu moyen le lait de coco avec le sucre, 80 ml ($\frac{1}{3}$ de tasse) de jus d'ananas, le rhum et le jus de lime. Ajouter le chocolat blanc et laisser mijoter de 2 à 3 minutes en remuant.

2. Dans un petit bol, délayer la fécule de maïs dans le reste du jus d'ananas. Verser dans la casserole et remuer jusqu'à épaississement.

3. Transférer la fondue dans le plat à fondue dessert. Servir avec des morceaux d'ananas, de banane, de mangue, de pitahaya, de melon miel, des cerises de terre et des biscuits au gingembre.

J'aime parce que...

Ça fait voyager les papilles !

Les fruits exotiques, le lait de coco, le rhum… c'est comme un petit voyage dans les Caraïbes, à peu de frais ! Cette recette originale amalgame des ingrédients typiques des pays du Sud qui ont le pouvoir de faire souffler un vent chaud sur la table… De quoi réchauffer les soirées d'hiver !

Fondue aux fraises

Préparation : **10 minutes** • Quantité : **4 portions**

250 ml (1 tasse) d'eau
....
250 ml (1 tasse) de sucre
....
450 g (1 lb) de fraises
....
250 ml (1 tasse) de crème
à cuisson 35 %
....
15 ml (1 c. à soupe) de fécule
de maïs
....

1. Dans une casserole, mélanger l'eau avec le sucre. Porter à ébullition.

2. Ajouter les fraises et la crème. Porter de nouveau à ébullition.

3. Dans un petit bol, délayer la fécule de maïs dans un peu d'eau froide. Incorporer ce mélange à la préparation aux fraises.

4. Transférer la préparation aux fraises dans le contenant du mélangeur. Émulsionner.

5. Transférer la fondue dans le plat à fondue dessert. Servir avec des morceaux de pomme, de banane, de poire, de melon, des fraises et des raisins.

J'aime aussi...

La fondue aux framboises

Pourquoi ne pas transformer cette recette en remplaçant les fraises par des framboises ? Toutefois, puisque ces dernières contiennent beaucoup de grains, il est préférable de filtrer le mélange avant de le transférer dans le plat à fondue dessert.

Fondue « crème brûlée » au chocolat blanc

Préparation : **30 minutes** • Quantité : **de 4 à 6 portions**

250 ml (1 tasse) de crème
à cuisson 15 %
....
2,5 ml (½ c. à thé) d'essence
de vanille
....
180 g de chocolat blanc,
coupé en morceaux
....
4 petits caramels (de type Kraft)
....
15 ml (1 c. à soupe) de fécule
de maïs
....
60 ml (¼ de tasse) de sucre
....

1. Dans une casserole, chauffer à feu moyen la crème avec la vanille jusqu'aux premiers frémissements.

2. Ajouter peu à peu les morceaux de chocolat et les caramels en remuant à l'aide d'une cuillère en bois. Chauffer à feu doux sans cesser de remuer, jusqu'à ce que le chocolat et les caramels soient fondus.

3. Délayer la fécule de maïs dans un peu d'eau froide et verser dans la casserole. Remuer jusqu'à épaississement.

4. Transférer la préparation dans le plat à fondue dessert.

5. Pour réaliser la croûte caramélisée, saupoudrer uniformément la fondue de sucre. Au moyen d'un chalumeau à crème brûlée, chauffer le sucre jusqu'à la formation d'une croûte dorée. Servir avec des framboises, des fraises et des tranches de carambole.

J'aime parce que...

C'est différent !

Épatez vos invités avec ce dessert original ! La texture crémeuse et la croûte croustillante de cette fondue aux airs de crème brûlée sauront sans aucun doute les charmer. Pour une plus grande variété de fruits à tremper, optez pour les bananes et les pommes : leur goût s'harmonise très bien à celui du chocolat blanc.

Fondue à la crème d'érable et arachides salées

Préparation : 15 minutes • Quantité : 4 portions

125 ml (½ tasse) de sirop d'érable
....

125 ml (½ tasse) de cassonade
....

375 ml (1 ½ tasse) de crème
à cuisson 15 %
....

2 à 3 gouttes d'essence de vanille
....

15 ml (1 c. à soupe) de fécule
de maïs
....

125 ml (½ tasse) d'arachides
salées hachées
....

1. Dans une casserole, chauffer à feu moyen le sirop d'érable avec la cassonade 3 minutes.

2. Incorporer la crème et la vanille.

3. Délayer la fécule de maïs dans un peu d'eau froide. Verser dans la casserole. Chauffer jusqu'aux premiers frémissements en remuant.

4. Transférer dans un plat à fondue dessert et ajouter les arachides. Servir avec des morceaux de poire, de banane, de pomme, des fraises et des cubes de gâteau blanc moelleux (de type quatre-quarts).

J'aime parce que...

C'est si bon le sucré-salé !

Bien qu'aux antipodes en ce qui concerne leur saveur, le sucre et le sel font pourtant bon ménage lorsque réunis dans un même plat. D'ailleurs, ne dit-on pas que les contraires s'attirent ? Quoi qu'il en soit, le mélange des arachides et de l'érable est un franc succès dans ce dessert !

Fondue mochaccino

Préparation : **25 minutes** • Quantité : **de 4 à 6 portions**

375 ml (1 ½ tasse) de crème
à cuisson 15 %
....
2,5 ml (½ c. à thé) d'essence
de vanille
....
15 ml (1 c. à soupe)
de café soluble
....
30 ml (2 c. à soupe) de liqueur
de café (de type Tia Maria
ou Kahlua)
....
350 g de chocolat au lait,
coupé en morceaux
....

1. Dans une casserole, chauffer à feu moyen
la crème avec la vanille, le café et la liqueur
de café jusqu'aux premiers frémissements.

2. Ajouter les morceaux de chocolat en
remuant à l'aide d'une cuillère en bois.
Chauffer à feu doux sans cesser de remuer
jusqu'à ce que le chocolat soit fondu.

3. Transférer la préparation dans le plat
à fondue dessert. Servir avec des fraises,
des cerises de terre, des tranches de kiwi
et des morceaux d'ananas.

Le saviez-vous ?

Choisir le bon chocolat

Pour une fondue réussie, il est essentiel de porter
une attention particulière à la qualité du chocolat.
Pour un effet onctueux, il est préférable d'opter
pour un produit contenant de la pâte ainsi que du
beurre de cacao. Vous trouverez au supermarché
(habituellement dans la section des confiseries
ou près des caisses) des tablettes de 100 g et
de 150 g de chocolat noir ou au lait convenant
parfaitement à ce genre de préparation.

Fondue à l'érable

Préparation : **15 minutes** • Quantité : **4 portions**

375 ml (1 ½ tasse) de sirop
d'érable
....
1 boîte de lait concentré
sucré de 300 ml
....
15 ml (1 c. à soupe) de fécule
de maïs
....

1. Dans une casserole, porter le sirop d'érable
à ébullition. Laisser mijoter à feu doux
5 minutes.

2. Verser le lait concentré et porter
de nouveau à ébullition.

3. Délayer la fécule de maïs dans un peu
d'eau froide et incorporer graduellement
au liquide chaud.

4. Transférer la préparation dans le plat à
fondue dessert. Servir avec des morceaux
de gâteau des anges, des fraises, des raisins
rouges et verts ainsi que des morceaux
de banane.

Fondue au chocolat

Préparation : **15 minutes** • Quantité : **4 portions**

500 g de chocolat au lait
en pastilles ou de chocolat
à fondue
....
250 ml (1 tasse) de crème
à cuisson 15 %
....
30 ml (2 c. à soupe) de rhum
ou de boisson à la crème
irlandaise (de type Bailey's)
....

1. Dans un bain-marie ou dans une casserole,
faire fondre le chocolat à feu très doux.

2. Ajouter la crème et remuer jusqu'à ce
que la préparation soit lisse et onctueuse.

3. Transférer dans le plat à fondue dessert et
incorporer le rhum ou la boisson à la crème
irlandaise. Servir avec des brochettes de
fraises, mangue et banane.

Le saviez-vous ?

Les plats à fondue doubles

Vous fondez pour le chocolat au lait alors que votre douce
moitié préfère le noir ? Avec ce type de plat, fini les compromis !
Même une fondue à l'érable peut en côtoyer une aux arachides.
Et pourquoi ne pas faire plaisir aux petits comme aux grands
avec une préparation alcoolisée et une autre sans alcool ? On
trouve facilement des plats à fondue doubles dans les cuisineries.

Fondue express au chocolat noir et pistaches

Préparation : **15 minutes** • Quantité : **de 4 à 6 portions**

375 ml (1 ½ tasse) de crème
à cuisson 15 %
....

1,25 ml (¼ de c. à thé) de cannelle
....

15 ml (1 c. à soupe) de zestes
d'orange
....

350 g de chocolat noir 70 %,
coupé en morceaux
....

80 ml (⅓ de tasse) de pistaches
grillées et hachées
....

1. Dans une casserole, mélanger la crème avec la cannelle et les zestes. Chauffer jusqu'aux premiers frémissements à feu moyen.

2. Ajouter peu à peu les morceaux de chocolat en remuant à l'aide d'une cuillère en bois. Chauffer à feu doux sans cesser de remuer jusqu'à ce que le chocolat soit fondu.

3. Transférer dans le plat à fondue dessert ou dans des tasses et garnir de pistaches. Servir avec des fraises, des raisins verts et des morceaux d'ananas.

Le saviez-vous ?

Les vertus du chocolat noir

En plus de procurer son lot de plaisir à ceux qui le consomment, le chocolat noir fournit d'autres bienfaits… à condition de contenir 70 % de cacao ou plus ! Puisqu'il est riche en polyphénols, de puissants antioxydants naturels, sa consommation régulière aiderait à réduire les risques de maladies cardiovasculaires, de maladies chroniques et de certains cancers en plus d'aider à réduire le stress. À quand la « chocothérapie » ?

Fondue au chocolat et noisettes

Préparation : **20 minutes** • Quantité : **4 portions**

500 g de chocolat au lait

60 ml (¼ de tasse) de tartinade au chocolat et noisettes (de type Nutella)

250 ml (1 tasse) de lait

2 à 3 gouttes d'essence de vanille

1. Dans un bain-marie ou dans une casserole, faire fondre le chocolat à feu très doux avec la tartinade au chocolat, le lait et la vanille. Remuer jusqu'à l'obtention d'un mélange lisse et onctueux.

2. Transférer dans le plat à fondue dessert. Servir avec des morceaux de melon miel, de cantaloup, de pomme verte, des fraises, des mini-guimauves, des mini-palmiers et des biscuits roulés (de type Pirouline).

J'aime parce que...

C'est simple et délicieux !

Cette fondue fera le plaisir des petits… et celui des grands becs sucrés ! Bien que rapide à préparer, il y a fort à parier qu'elle disparaîtra en moins de temps qu'il n'en faut pour la faire ! Pour un plaisir prolongé, réservez-en un peu pour garnir vos croissants du lendemain matin.

Fondue irrésistible au chocolat marbré

Préparation : 15 minutes • Quantité : 4 portions

375 ml (1 ½ tasse) de crème
à cuisson 15 %
......

2 à 3 gouttes d'essence de vanille
......

45 ml (3 c. à soupe) de miel
......

15 ml (1 c. à soupe) de rhum
(facultatif)
......

400 g de chocolat noir 70 %,
coupé en morceaux
......

125 ml (½ tasse) de chocolat
blanc râpé
......

1. Dans une casserole, chauffer à feu moyen la crème avec la vanille, le miel et le rhum jusqu'aux premiers frémissements.

2. Ajouter le chocolat noir. Chauffer à feu doux en remuant, jusqu'à ce qu'il soit fondu.

3. Transférer la fondue dans le plat à fondue dessert et ajouter le chocolat blanc, sans remuer. Servir avec des fraises, des raisins, des morceaux de kiwi et de banane. Tremper les fruits en remuant afin de créer un effet marbré.

Le saviez-vous ?

Que faire quand le chocolat fige ?

Il nous est tous arrivé au moins une fois de faire figer notre fondue au chocolat en y ajoutant de la crème... La bonne nouvelle, c'est qu'il est possible de la récupérer ! Pour ce faire, il suffit d'ajouter de la crème chaude à la fondue, petit à petit, en remuant doucement jusqu'à l'obtention d'une texture homogène. La crème peut très bien être remplacée par de l'eau ou par une liqueur alcoolisée, à condition que cette dernière soit ajoutée chaude.

Fondue crémeuse érable et pacanes

Préparation : 25 minutes • Quantité : de 4 à 6 portions

250 ml (1 tasse) de sirop d'érable

250 ml (1 tasse) de crème
à cuisson 5 %

30 ml (2 c. à soupe) de fécule
de maïs

30 ml (2 c. à soupe)
de boisson à la crème
irlandaise (de type Bailey's)

80 ml (⅓ de tasse)
de pacanes hachées

1. Dans une casserole, chauffer le sirop d'érable à feu doux-moyen de 3 à 4 minutes. Incorporer la crème en fouettant.

2. Dans un petit bol, délayer la fécule de maïs dans la boisson à la crème irlandaise. Verser dans la fondue et chauffer de 1 à 2 minutes à feu moyen en remuant à l'aide d'une cuillère en bois jusqu'à épaississement. Incorporer les noix.

3. Transférer la préparation dans le plat à fondue dessert. Servir avec des morceaux de cantaloup, de melon miel, de kiwi, d'ananas, des fraises et des raisins rouges.

J'aime parce que...

Ça change du chocolat !

Non seulement cette fondue à l'érable est différente, mais c'est aussi une belle façon de raviver l'esprit convivial des parties de sucre ! Pas nécessaire d'attendre au printemps, cette fondue est délicieuse en tout temps !

Index des recettes